DINAMICA

Hasnain Walji y Andrea Kingston

Artritis y reumatismo

Traducción de Sara Alonso

PLAZA & JANES

Título original: *Arthritis & Rheumatism*
Diseño de la portada: Josep M.ª Mir

Primera edición: julio, 1995

© 1994, Hasnain Walji
© de la traducción, Sara Alonso
© 1995, Plaza & Janés Editores, S. A.
Enric Granados, 86-88. 08008 Barcelona

Printed in Spain – Impreso en España

ISBN: 84-01-52015-0
Depósito legal: B. 27.975 - 1995

Fotocomposición: Lorman

Impreso en Cremagràfic
Bernat Metge, 197. Sabadell (Barcelona))

L 520150

ÍNDICE

*Este libro está dedicado
a quienes buscan la salud
y a quienes ayudan a encontrarla*

AGRADECIMIENTOS

Deseo expresar mi gratitud a la doctora Andrea Kingston por su valiosa colaboración y por aportar un punto de vista esclarecedor sobre varias aparentes contradicciones entre la medicina ortodoxa y las terapias alternativas; a Angela Dowden, especialista en nutrición, por sus oportunas sugerencias; a Sato Liu, miembro de la Natural Medicines Society, quien me ayudó a contactar y entrevistar a los facultativos, y a mi agente, Susan Mears, por sus prácticos consejos y su constante ánimo.

Este libro jamás habría visto la luz sin la cooperación de los siguientes especialistas, que con tanta paciencia soportaron mis interrupciones: Christine Wildwood (aromaterapeuta), Jan De Vries, (naturópata), Michael Thompson y Beth MacEoin (homeópatas), Pauline Wills (reflexóloga) y Maurice Orange (médico especialista en medicina antroposófica).

También estoy en deuda con mi hija, Sukaina, quien dedicó sus vacaciones universitarias a la ardua tarea de leer documentos y libros de investigación en busca de información. Por último, deseo dar las gracias a mi esposa, Latifa, por su amor, su interés y las largas horas que empleó en mecanografiar el manuscrito; sin ella, nunca habría podido acabar este libro.

PRÓLOGO

La artritis y el reumatismo constituyen las dos enfermedades más comunes y extendidas, que los seres humanos han heredado. Resulta apropiado utilizar el término «heredar», porque la principal razón por la que estas enfermedades son tan comunes es la evolución humana. Durante los últimos dos millones de años, nuestra especie, *Homo sapiens*, ha evolucionado a una velocidad vertiginosa. Uno de los principales cambios evolutivos ha sido la bipedestación o posición erecta. Este avance permitió al hombre liberar sus manos, las cuales han sido responsables, junto con un gran desarrollo cerebral, de la mayoría de los logros (y también de los desastres) del ser humano.

Pero dos millones de años constituyen un período muy corto en términos evolutivos, y algunas partes de nuestro cuerpo, sobre todo el esqueleto, no han tenido tiempo suficiente para adaptarse. Ésta es la razón fundamental por la que la artritis de las articulaciones que soportan el peso de nuestro cuerpo es tan frecuente. Este concepto es especialmente válido para la columna vertebral y, en menor grado, para otras articulaciones, como las caderas, las rodillas y los pies. También el cuello puede resultar afectado, ya que sostiene el gran peso del cerebro.

Sin embargo, para otras enfermedades reumáticas graves de mayor incidencia, como la artritis reumatoide, no se encuentra tan claramente una explicación. Aún se desconoce la causa de la artritis reumatoide, pero su incidencia es notablemente constante (afecta al 1% de la población mundial). Algunos expertos creen que se trata de una enfermedad relativamente nueva, que tal vez remonte al siglo XVII, y por ello se la denomina «enfermedad de la civilización».

No se puede negar el impacto creciente de la artritis y el reumatismo en nuestro tiempo. Este hecho se debe, en parte, a que la medicina ha sucumbido ante sus propios avances. La mayoría de las enfermedades se manifiestan en la edad adulta o la vejez y son progresivas. Por consiguiente, afectan más a las personas de edad avanzada que a la población joven. Debido al desarrollo y a los avances en el campo de la medicina, la esperanza de vida es cada vez mayor y, por tanto, ha aumentado paulatinamente la incidencia de artritis y reumatismo entre la población general.

Así pues, la medicina ha sido víctima de sus propios éxitos por otras razones, que evidentemente son menos conocidas por el público. La industria farmacéutica acaba de marcar un pequeño hito con la introducción del primer «medicamento persigador de diseño», cuyo único objetivo es contrarrestar los efectos secundarios de otros fármacos, sobre todo la irritación gástrica que suelen producir los antiinflamatorios no esteroideos (AINE), los medicamentos más empleados en el tratamiento de las enfermedades artríticas y reumáticas.

Mientras tanto, la eficacia de las terapias alternativas es reconocida por un grupo cada vez mayor de facultativos, científicos y gobiernos. Cada año, un gran número de personas requiere tratamiento para el dolor de espalda, y un reciente estudio ha demostrado que el uso de la quiropraxia podría reducir significativamente la baja laboral por enfermedad y ahorrar mucho dinero público. Paulatinamente, los gobiernos están empezando a reconocer las terapias alternativas en su condición de sistemas terapéuticos médicos.

En medio de tantos cambios, resulta difícil encontrar un asesoramiento sobre la naturaleza de las enfermedades, las ventajas y los inconvenientes de los distintos tratamientos tradicionales y alternativos, y la forma de conseguirlos. Tras una exposición general del funcionamiento de las articulaciones sanas y de las causas de las principales enfermedades reumáticas, los siguientes capítulos proporcionan una descripción detallada de las principales terapias alternativas y su funcionamiento y cómo pueden ayudar al paciente afectado. Recomiendo este libro a las personas que padecen dolores o invalidez a causa de artritis o reumatismo, ya que les ayudará a comprender el mecanismo de su enfermedad.

Doctor PETER FISHER MRCP FFHom
Médico especialista del Royal London Homeopathic Hospital,
Profesor de reumatología y medicina complementaria,
St Bartholomew's Hospital Medical College,
Miembro del Natural Medicines Society,
Medicines Advisory Research Committee.

PREFACIO

Esta serie de libros enfoca, de forma innovadora y concisa, las enfermedades comunes y sus posibles tratamientos mediante terapias alternativas. El objetivo no es sustituir el planteamiento de la medicina ortodoxa por otro, sino dar al lector una visión general de la ayuda que pueden brindarle otros enfoques de la medicina.

Una vez establecido el diagnóstico de su problema por el médico de cabecera, este libro puede ser de gran utilidad si desea explorar otras formas de tratamiento. La intención de estos libros no es recomendar a las personas que dejen de tomar los medicamentos convencionales que se les hayan recetado, sino iniciarlos en el conocimiento de tratamientos alternativos y complementarios que les permitan reducir el consumo de este tipo de medicamentos y, en algunos casos, evitar por completo su empleo.

Hemos intentado presentar la información de forma clara y comprensible. Nuestro objetivo central era examinar el reumatismo y la artritis desde diferentes perspectivas, al tiempo que proporcionábamos al lector una

introducción a las distintas terapias alternativas. Tratamos de animar al lector a asumir la responsabilidad de
su propia salud, dándole la opción de elegir con conocimiento de causa la terapia que mejor le convenga, ad-
virtiéndole al mismo tiempo de los riesgos que entraña
la automedicación. Asimismo, explicamos cómo y por
qué la medicina convencional —un sistema médico
muy valioso, capaz de salvar muchas vidas— debe ser
siempre el último recurso (y no el primero), cuando hayan fracasado otros métodos más naturales.

Tras una exposición general de los diferentes tipos
de artritis y reumatismos en el capítulo I, en el siguiente
se describen los diversos tratamientos que puede plantear el médico de cabecera en estos casos. El capítulo III
se centra en los factores, como el estilo de vida, la dieta
y la nutrición, que pueden colaborar en la lucha contra
estas dolencias. Los capítulos siguientes están dedica-
dos a exponer diferentes métodos alternativos.

El elemento común que subyace a todas las técnicas
terapéuticas alternativas o complementarias descritas
en este libro es la firme creencia en el poder curativo
del cuerpo humano. Todas las medicinas complementarias reconocen que el organismo posee una capacidad innata de curarse a sí mismo; esta idea transmite al
paciente un mensaje claro acerca de su propia función
en el proceso de curación; la función de la mente que
alienta al cuerpo a curarse.

A primera vista puede parecer que este planteamiento se opone a la medicina ortodoxa, cuyo objetivo terapéutico es curar la parte enferma del organismo, y en la
que el paciente no desempeña papel alguno, excepto el
de tomar obedientemente los medicamentos. Esta concepción, en la que el médico es un dios con bata blanca, poseedor de la píldora mágica que lo cura todo, no

es sino el resultado de la combinación del temor con la falta de conocimientos sobre la naturaleza de las enfermedades y, sobre todo, de la salud.

El presente libro pretende disipar los mitos y ampliar los conocimientos del lector sobre temas relacionados con la salud y la curación, que trascienden los ámbitos de la anatomía y la biología. Con el reconocimiento de que la medicina tradicional y las terapias alternativas no tienen por qué ser mutuamente excluyentes, habremos dado un paso de gigante hacia la promoción de la medicina integral del siglo XXI.

HASNAIN WALJI
Milton Keynes
Marzo de 1994

I

CONSIDERACIONES GENERALES: MANTENIMIENTO DEL CUERPO

Metafóricamente, la expresión «no mover un dedo» significa no hacer el menor esfuerzo. Por lo general, cuando movemos una parte de nuestro cuerpo no somos conscientes de ello. Un dedo es un mecanismo perfectamente diseñado que realiza una serie de acciones no por rutinarias menos complejas. Los ingenieros de robótica conocen muy bien la dificultad que entraña emular la perfecta coordinación de las articulaciones humanas, incluso las más sencillas. Es el *sistema osteo-muscular* o *locomotor* (los huesos, los músculos y las articulaciones del cuerpo humano) el que hace posibles nuestros movimientos, algo que olvidamos con frecuencia.

A largo plazo, la fiabilidad y el buen funcionamiento de cualquier dispositivo mecánico no sólo dependen de su diseño, sino también de la calidad de sus componentes. Ninguna máquina, por perfecta que sea, durará mucho tiempo si no se utiliza correctamente y se descuida su mantenimiento. Lo mismo puede decirse del cuerpo humano. Pero hemos de tener presente que, para mantener el buen funcionamiento del sistema osteomuscular, no sólo debemos atender los aspectos físicos, sino también el psíquico y el espiritual.

Cuando el sistema locomotor sufre una sobrecarga, pueden sobrevenir problemas, como fracturas, esguinces, roturas de los *ligamentos* (tejido blanco que sirve como medio de unión de las articulaciones), contracturas musculares o incluso dolencias crónicas como la *epicondilitis* o enfermedad del tenista (inflamación del codo) o la *hidrartrosis* (inflamación y tumefacción de la rodilla).

En términos generales se denomina *reumatismo* al dolor en las articulaciones o las estructuras que las rodean, mientras que el término *artritis*, que significa literalmente «inflamación de las articulaciones», suele utilizarse para designar cualquier dolencia articular. Existen muchos tipos de artritis, pero las de más frecuente aparición son la *artrosis* u *osteoartritis* y la *artritis reumatoide*.

La artrosis, el tipo más común, afecta a un gran número de personas y es consecuencia del deterioro general del cuerpo. Es relativamente benigna y afecta por lo general las rodillas, los dedos, las caderas y, con menor frecuencia, la columna vertebral.

La artritis reumatoide, menos común, afecta a personas más jóvenes y se relaciona directamente con alteraciones del sistema inmunitario. Es una dolencia más grave que la artrosis y ataca las articulaciones, los músculos y, en casos excepcionales, el corazón y los pulmones. A fin de comprender mejor la causa de estas enfermedades que limitan la movilidad articular, examinaremos la estructura de las articulaciones, un mecanismo de sorprendente perfección que nos permite ejecutar un movimiento casi al mismo tiempo que nuestro cerebro transmite la orden, o incluso antes, como en el caso de las acciones reflejas.

CÁPSULA ARTICULAR

Básicamente, una articulación es un dispositivo mecánico. Los huesos son órganos formados por tejido vivo compuesto de un tipo de proteína que combina el calcio, el magnesio y el fósforo. La forma de los huesos de una articulación permite una amplia gama de movimientos. Algunas articulaciones se asemejan a una bisagra (la rodilla y el codo), mientras que otras, como la cadera y el hombro, se denominan articulación esferoidea.

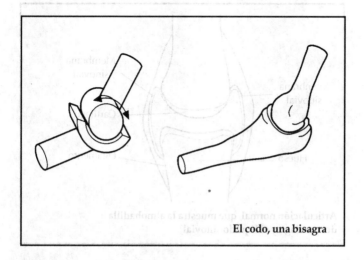

El codo, una bisagra

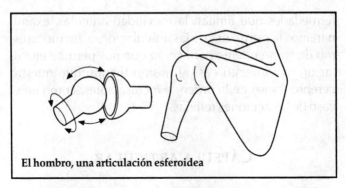

El hombro, una articulación esferoidea

El *cartílago* es una capa de tejido liso y brillante, compuesto de proteínas e hidratos de carbono, que se adhiere a las superficies articulares óseas. Al ser liso y menos quebradizo que el hueso, ayuda al movimiento articular y actúa como amortiguador.

Las articulaciones se encuentran envueltas por una fina membrana denominada *membrana sinovial*. Sus células producen el *líquido sinovial*, que inunda las cavidades articulares para «lubricar» las articulaciones.

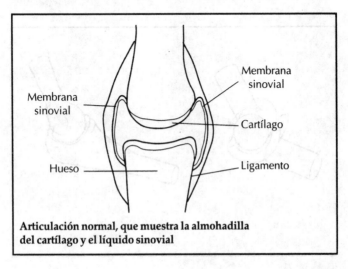

Membrana sinovial

Membrana sinovial

Cartílago

Hueso

Ligamento

Articulación normal, que muestra la almohadilla del cartílago y el líquido sinovial

Los ligamentos son fibras resistentes que fortalecen la parte exterior de la membrana sinovial y contribuyen a dar estabilidad a las articulaciones.

La cápsula articular está rodeada de músculos, los cuales se hallan unidos a los huesos mediante los *tendones*. Unas pequeñas bolsas llenas de líquido, denominadas *bolsas sinoviales*, ayudan a reducir la fricción entre los huesos y los tendones, sobre todo cuando éstos se hallan cerca de la piel.

ENFERMEDADES DE LAS ARTICULACIONES

Las enfermedades que afectan a los huesos, los cartílagos, las membranas sinoviales, los músculos, los tendones y las bolsas sinoviales se engloban dentro de la clasificación general de enfermedades de las articulaciones. Cuando éstas afectan a los tejidos circundantes, como los tendones, los ligamentos y las bolsas sinoviales, reciben el nombre específico de *enfermedades periarticulares*. La distensión de ligamentos, las torceduras de tobillo, la hidrartrosis y la epicondilitis se incluyen en esta categoría. En la mayoría de estas dolencias se produce un dolor localizado que, aunque puede extenderse, suele cesar con rapidez. La fibrositis (también conocida como *reumatismo muscular*) es otro tipo de enfermedad periarticular en la que el dolor se localiza en los músculos que rodean las articulaciones.

Por otro lado, se denomina artritis a los trastornos que afectan la propia articulación. Existen alrededor de 200 clases de artritis (tantas como articulaciones hay en el cuerpo humano). Sin embargo, como hemos mencionado previamente, la mayoría de ellas puede clasificarse en dos grandes grupos según que exista:

- Deterioro del cartílago y de los extremos óseos de la articulación, como en la artrosis.
- Inflamación de la membrana sinovial, como en la artritis reumatoide.

ARTROSIS

Con este nombre se designa el desgaste de las superficies articulares, generalmente el cartílago y, a veces, de los extremos óseos. Suele presentarse en las manos, los pies y la cadera y está causada por lesiones del cartílago y, en casos extremos, incluso de los huesos, que conducen a exceso de fricción y desgaste. Es una dolencia muy extendida, cuyos síntomas suelen aparecer a partir de los 50 años. Habitualmente no reviste gravedad, pero cuando el daño es extenso produce dolor intenso y es muy incapacitante. Por ello, constituye la causa más común de invalidez en los países desarrollados. Algunas familias son más propensas a padecer esta enfermedad, así como las personas con exceso de peso.

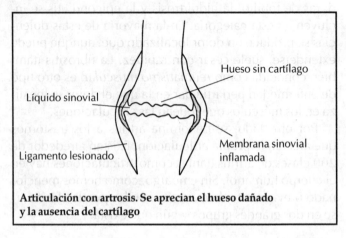

Líquido sinovial

Ligamento lesionado

Hueso sin cartílago

Membrana sinovial inflamada

Articulación con artrosis. Se aprecian el hueso dañado y la ausencia del cartílago

¿Cómo se produce?

La artrosis se inicia con el endurecimiento del cartílago que recubre la superficie articular, el cual se deteriora progresivamente. En algunos casos, llega a desaparecer casi por completo de los extremos de los huesos, cuya forma empieza a cambiar cuando el *colágeno* (principal sustancia albuminoidea del tejido conjuntivo de los huesos) se descompone. Posteriormente se forman unas excrecencias óseas, denominadas osteófitos, en las terminaciones de los huesos, que son las responsables del aspecto deformado de las manos de los afectados. La secreción de líquido sinovial disminuye y éste pierde progresivamente la capacidad de lubricar las articulaciones. Como consecuencia, la membrana sinovial y el resto de la articulación se inflaman y los movimientos se dificultan.

¿Cuáles son sus causas?

Entre los factores desencadenantes de la artrosis destacan el envejecimiento, la herencia genética, el desgaste por el uso y las malas posturas (sobre todo en las personas que tienen articulaciones débiles o alguna anormalidad estructural). Es importante señalar que la sobrecarga a la que a menudo se encuentran sometidas las articulaciones durante el ejercicio físico o el deporte no provoca *per se* artrosis. Sin embargo, las lesiones deportivas recurrentes, como las lesiones de rodilla de los futbolistas, pueden desencadenar su aparición, al igual que la artritis reumatoide y la gota, en cuyo caso se denomina artrosis u osteoartritis *secundaria*.

ARTRITIS REUMATOIDE

En los casos graves, esta enfermedad suele producir invalidez y diversas complicaciones. Afecta a un número elevado de personas, en su mayoría mujeres. Las articulaciones más afectadas son las de los dedos, las muñecas, las rodillas y los tobillos.

¿Cómo se produce?

La artritis reumatoide se inicia con la inflamación de la membrana sinovial de la articulación afectada. Aparecen tumefacción, aumento del calor local y dolor causados por el exceso de líquido que rezuma la membrana inflamada. A medida que evoluciona la enfermedad, comienza un proceso de degeneración del cartílago y el hueso, que conduce al deterioro y deformación irreversibles de las articulaciones.

Además de afectar la membrana sinovial, la inflamación puede localizarse en los tendones y las bolsas sinoviales, en cuyo caso los movimientos resultan difíciles y dolorosos. A veces se produce la rotura de los tendones o la formación de nódulos subcutáneos.

La artritis reumatoide no se localiza exclusivamente en los tejidos de las articulaciones, sino que también puede afectar a los tejidos de otros órganos, como el corazón, los pulmones, los riñones e, incluso, los ojos.

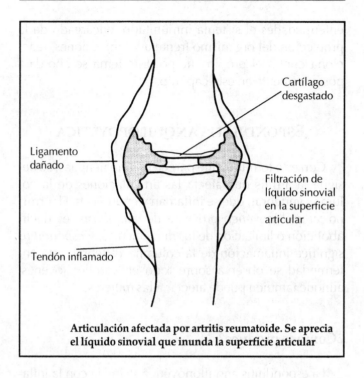

Cartílago desgastado

Ligamento dañado

Filtración de líquido sinovial en la superficie articular

Tendón inflamado

Articulación afectada por artritis reumatoide. Se aprecia el líquido sinovial que inunda la superficie articular

¿Cuál es su origen?

A diferencia de la artrosis, se desconoce la etiología exacta de la artritis reumatoide. Se cree que ciertos factores medioambientales y genéticos pueden actuar como desencadenantes. Se han identificado algunos genes que aumentan la predisposición de determinadas personas a padecer esta enfermedad. Los factores medioambientales son más difíciles de determinar, ya que son numerosos los contaminantes que podrían ser responsables. En los últimos años, las investigaciones se han centrado en las *enfermedades autoinmunes*, entre las que se incluye a la artritis reumatoide. En este tipo de enfermedades el sistema inmunitario, encargado de la protección del organismo frente a las infecciones, reacciona contra el propio cuerpo. Este tema se abordará posteriormente en este capítulo.

ESPONDILITIS ANQUILOPOYÉTICA

Con este término, que parece un trabalenguas, se designa la artritis que afecta las articulaciones de la columna vertebral, que se inflaman y endurecen. El término *anquilopoyético* proviene de *anquilosis*, es decir, abolición o limitación de los movimientos, y *espondilitis* significa inflamación de la columna vertebral. Esta enfermedad se observa sobre todo en varones jóvenes, aunque también puede afectar a las mujeres.

¿Cómo se produce?

La espondilitis anquilopoyética se inicia con la inflamación de los extremos de los ligamentos y tendones, en la zona donde se fijan en los huesos. Se diferencia de la artritis reumatoide en que en las zonas inflamadas se forma tejido cicatrizal que, con el tiempo, se adhiere al tejido óseo. Esta excrecencia ósea forma un puente entre las *vértebras* (los huesos que forman la columna), las cuales se endurecen y producen rigidez de la columna vertebral.

¿Cuál es su origen?

Todavía se desconoce la causa exacta de esta enfermedad, pero se cree que factores medioambientales

son los desencadenantes en personas genéticamente pre-
dispuestas.

GOTA

Esta enfermedad, tradicionalmente relacionada con
la buena vida y los excesos gastronómicos, se produce
como consecuencia de la formación de depósitos de
urato (sales de ácido úrico) en las articulaciones, que
causan la inflamación de éstas. La gota afecta sobre todo
a los varones, suele ser de carácter hereditario y se manifiesta en personas de mediana edad.

¿Cómo se produce?

A menudo, la gota se inicia con un ataque agudo en
el dedo gordo del pie. Normalmente, el ácido úrico se
elimina a través de los riñones, pero cuando sus niveles
en la sangre son elevados, se producen depósitos de
urato en las articulaciones. Dichos depósitos, que se con-
centran en el cartílago, provocan la acumulación de
materia calcárea. Los depósitos de urato precipitan en
la cavidad articular y se produce la inflamación.

¿Cuáles son sus causas?

Además de los factores genéticos, la ingestión de alimentos o bebidas que producen ácido úrico en el organismo desencadenan la gota. A veces, los fármacos o las
lesiones hepáticas pueden provocar un aumento de ácido úrico en la sangre.

¿QUÉ ES UNA ENFERMEDAD AUTOINMUNE?

El sistema inmunitario humano tiene gran capacidad para combatir los cuerpos extraños que causan las enfermedades. Para ello, tiene que distinguir entre las células extrañas y las del propio organismo.

Cuando el sistema inmunitario identifica una sustancia extraña, entran en acción sus células específicas para erradicarla. El sistema inmunitario presenta tal grado de complejidad que «recuerda» todas las sustancias extrañas con las que se pone en contacto y, por lo tanto, es capaz de reaccionar con mayor rapidez en los sucesivos contactos con ellas. Este fenómeno se denomina *inmunidad adquirida*.

Las vacunas constituyen un ejemplo de inmunidad adquirida frente a las enfermedades. Para ello, se introduce en el cuerpo una pequeña cantidad de microorganismos atenuados o muertos, mediante la inyección de una vacuna. Puesto que dichos microorganismos ya no están activos, no existe riesgo de contraer la enfermedad. Sin embargo, las defensas del cuerpo actúan frente a ellos para combatirlos, produciendo *anticuerpos* (proteínas que contrarrestan el efecto nocivo de los gérmenes) en respuesta a la inoculación. Es sistema inmunitario también «recuerda» la forma de erradicarlos si vuelve a encontrarlos posteriormente. De este modo, si una persona que ha recibido una vacuna es atacada por ese microorganismo vivo, por ejemplo el causante del cólera, su sistema inmunitario reaccionará antes de que dicho germen tenga la oportunidad de desarrollar la enfermedad. Toda esta información se archiva en el *timo*, el «ordenador» del cuerpo. Éste indica a las defensas cuándo tienen que combatir a una sustancia extraña y, del mismo modo, cuándo no deben hacerlo en caso de que se trate de un cuerpo extraño inocuo.

Un sistema inmunitario competente es capaz de rechazar el ataque de una enfermedad, pero puede verse perjudicado por una alimentación deficitaria, la contaminación medioambiental, el estrés e incluso el proceso natural de envejecimiento, con graves consecuencias.

Cuando el funcionamiento del sistema inmunitario se desajusta, a veces se vuelve hiperactivo y ataca sustancias extrañas inocuas. La fiebre del heno es un ejemplo clásico de este fenómeno, ya que el sistema inmunitario ataca las partículas del polen, que normalmente es una sustancia inocua. Las células implicadas en esta *respuesta inmune* segregan *histamina*, sustancia responsable de los síntomas de la fiebre del heno. Ocurre un fenómeno similar cuando se realiza un trasplante de órganos, porque el sistema inmunitario, que está programado para rechazar el tejido extraño, ataca el corazón o el riñón trasplantados.

En ocasiones, el funcionamiento del sistema inmunitario se altera por completo y empieza a atacar a las células del propio organismo. Éste es el caso de la artritis reumatoide, una enfermedad autoinmune, al igual que la *diabetes mellitus*, la *esclerosis múltiple* y el *lupus*. El cuerpo no es capaz de distinguir entre las células propias y las de los organismos extraños y produce anticuerpos contra sus propias células. Los glóbulos blancos o leucocitos son células complejas del organismo que constituyen su arsenal defensivo. Se dividen en subgrupos según su función específica en la defensa contra el ataque de una enfermedad. Por ejemplo, los *linfocitos T* desempeñan una función reguladora, mientras que los *linfocitos B* segregan anticuerpos altamente eficaces. Si una parte del sistema inmunitario falla, la capacidad del organismo para combatir las enfermedades resulta seriamente perjudicada. En consecuencia, muchas personas padecen problemas de salud recurrentes; resfriados, gripe, fatiga crónica, así como fiebre del heno y asma.

En las enfermedades autoinmunes, el organismo produce anticuerpos que atacan las células propias. Las causas de este trastorno se atribuyen, en parte, al envejecimiento, la contaminación, y los *radicales libres*. El oxígeno es imprescindible para la vida, pero, paradójicamente, también puede provocar problemas de salud. Todos los seres vivos que utilizan oxígeno producen radicales libres. Cuando las células absorben oxígeno elaboran una pequeña cantidad de moléculas inestables a las que les falta un electrón (las moléculas sólo son estables cuando el número de electrones está en equilibrio). Estas moléculas de oxígeno inestables se denominan radicales libres. Se producen constantemente a lo largo de nuestra vida, y su acción es contrarrestada en gran parte por el arsenal de *antioxidantes* (v. cap. III) del que dispone nuestro organismo. Mientras los radicales libres se encuentren bajo control, se mantiene el estado de salud. Sin embargo, si el cuerpo produce más radicales libres de los necesarios (de hecho, desempeñan una función útil), éstos pueden dañar el sistema inmunitario y, por lo tanto, las defensas frente a las enfermedades crónicas. Se cree que, además de tener un papel en el desarrollo de la artritis reumatoide, el exceso de radicales libres sin control puede contribuir a la aparición de mutaciones, cáncer, pérdida de memoria y senilidad.

Neutralización de los radicales libres

Dado que los radicales pueden perjudicar la salud, es importante controlarlos. La mejor defensa frente a los radicales libres la constituyen los antioxidantes, que contrarrestan su acción al unirse a ellos, neutralizando así sus posibles efectos dañinos. Los antioxidantes más conocidos son las vitaminas C y E, la provitamina A, los betacarotenos y los minerales selenio y cinc. La correlación entre la nutrición y un sistema inmunitario sano es un factor digno de tener en cuenta (v. cap. III).

La causa exacta de la artritis reumatoide sigue siendo una incógnita incluso para los expertos. Algunas escuelas sostienen que un microorganismo determinado, denominado *Proteus,* que suele producir infecciones urinarias, puede contribuir al desarrollo de esta enfermedad. La mayoría de las personas que padecen artritis reumatoide poseen ciertos determinantes genéticos similares a los de la bacteria *Proteus.* Por lo tanto, se cree que es posible que el sistema inmunitario confunda dichos componentes con los de *Proteus.* El hecho de que se aprecien niveles superiores de anticuerpos frente a dicha bacteria en la sangre de los pacientes afectados corrobora esta creencia. Incluso, es posible que explique la mayor incidencia de artritis reumatoide en las mujeres, ya que son más propensas a padecer infecciones urinarias.

La mayoría de los individuos artríticos, sobre todo los que sufren artritis reumatoide, también presentan alergias alimentarias o químicas y, de nuevo, es importante considerar los factores dietéticos y medioambientales. Asimismo, el monóxido de carbono, la contaminación en general y otras sustancias químicas pueden desarrollar y exacerbar los síntomas.

Un desequilibrio en los niveles de calcio del organismo puede producir osteoporosis, enfermedad que debilita los huesos y los hace más propensos al desgaste. El equilibrio de los niveles de calcio es regulado por las hormonas. Una gran variedad de factores, como la exposición a sustancias tóxicas, el estrés y el consumo de alcohol, puede alterar dicho equilibrio.

TRATAMIENTO DEL REUMATISMO Y DE LA ARTRITIS

Por lo general, las personas que padecen artritis se tratan con *antiinflamatorios no esteroideos* (AINE). Se supone que estos fármacos ayudan a aliviar el dolor y el anquilosamiento, pero en realidad sólo alivian los síntomas sin actuar sobre la raíz del problema. Además, su uso puede dañar el aparato digestivo, producir hemorragias internas y agudizar las alergias alimentarias. Se ha demostrado que el uso continuado de analgésicos, como el *paracetamol*, puede dañar determinados órganos, sobre todo el hígado. No obstante, los artríticos no tienen por qué resignarse a sufrir las molestias que produce esta enfermedad, pues existen opciones para aliviarlas.

Si usted padece una artritis intensa, con seguridad la primera persona a la que acudirá será su médico de cabecera (v. cap. II). El tratamiento con hierbas medicinales puede proporcionarle una mejoría gradual, sin riesgos de efectos secundarios (v. cap. IV). Las terapias alternativas, como la aromaterapia, la acupuntura y la homeopatía, también ofrecen soluciones, sin recurrir al uso de medicamentos (v. cap. V a VIII). El objetivo de casi todas las terapias alternativas es el tratamiento holístico, es decir, tratar conjuntamente el cuerpo, la mente y el espíritu, para llegar a la raíz del problema. Con independencia del tratamiento que decida seguir —sea con terapias convencionales, con una combinación de terapias convencionales y alternativas o sólo con terapias alternativas— es importante prestar atención a la aparición de los primeros síntomas. Es posible que ya le hayan diagnosticado la enfermedad y lleve años padeciéndola, pero puede ayudar a otros a identificarla antes de que sea demasiado tarde.

PRIMEROS SÍNTOMAS DE LA ARTRITIS

- Tumefacción, dolor e hipersensibilidad de las articulaciones.
- Enrojecimiento y calor en las articulaciones.
- Anquilosamiento de las articulaciones por las mañanas.
- Limitación o falta de movilidad en las articulaciones.
- Nota: los síntomas mencionados deben manifestarse durante al menos 2 semanas.

II

MEDICINA TRADICIONAL: ¿QUÉ PUEDE OFRECERLE SU MÉDICO DE CABECERA?

Al oír la palabra «reumatismo» suele pensarse en personas ancianas e impedidas, con sus articulaciones deformadas y dificultades para andar. Es desagradable imaginarse a uno mismo en ese estado. Por suerte, estas circunstancias hoy en día son poco comunes en los países occidentales, y la mayoría de las personas que padecen artritis o reumatismo pueden llevar una vida normal.

De hecho, los médicos utilizan el término «reumatismo» de forma imprecisa, excepto en el caso de una enfermedad en concreto, como es el caso de la artritis reumatoide. En este libro utilizaremos dicho término para abarcar una variedad de enfermedades que no afectan las articulaciones en sí, sino las estructuras que las rodean. A continuación, detallaremos las más comunes.

Existen muchas formas de artritis de carácter transitorio o que tienen un tratamiento específico. Por ejemplo, las infecciones articulares, aunque raras y graves, pueden tratarse con *antibióticos* (fármacos que se administran para combatir las infecciones bacterianas). Puesto que estas enfermedades articulares y musculares también pueden afectar otros órganos del cuerpo, como los ojos o el hígado, es imprescindible diagnosticarlas y tratarlas rápidamente para evitar que se produzcan lesiones irreversibles. Así pues, es importante que cualquier persona que sufra fuertes dolores articulares o musculares consulte con su médico de cabecera, para que éste investigue su origen. En la mayoría de los casos, la causa del problema no es grave.

La artritis reumatoide y la artrosis son los dos tipos de artritis más conocidos por la población. No obstante, su diagnóstico es a veces difícil y a menudo transcurren meses, o incluso años, hasta que los análisis de sangre y otras pruebas reflejan indicios claros de la enfermedad. A primera vista, esto puede parecer inaceptable, pero, mientras se llega al diagnóstico siempre es posible seguir un tratamiento de carácter preventivo. No existe curación para estas dos enfermedades crónicas y se requiere tiempo para aceptar este hecho. Su médico de cabecera debe atenderlo de forma continua, proporcionarle explicaciones y consejos, así como permitirle el acceso a otros recursos y prescribirle el tratamiento inicial.

Si un paciente presenta intensos dolores articulares o la enfermedad afecta otros órganos del cuerpo, como los ojos, es recomendable remitirlo a un especialista. De hecho, la mayoría de las personas que padecen artritis reumatoide serán atendidas, tarde o temprano, por un reumatólogo.

Durante la primera fase de la enfermedad, siempre surgen preguntas o dudas que debe plantear a su médico. Si le receta un tratamiento con comprimidos o inyecciones, debe explicarle detalladamente sus posibles efectos secundarios. El diálogo entre usted y su médico es importante para evitar preocupaciones innecesarias. Las dudas que con toda seguridad tendrá, sobre todo en la primera fase de la enfermedad, debe apuntarlas para exponérselas al médico en su primera cita. Todo el mundo tiene derecho a que le expliquen claramente las características de su enfermedad, lo cual, además, lo motivará a seguir el tratamiento de forma correcta.

Las personas que padecen artritis *progresiva* (es decir, con tendencia a empeorar) y quedan inválidas, necesitarán la asistencia de los miembros del equipo de atención primaria, como la enfermera o el fisioterapeuta, que trabajan con el médico de cabecera. Asimismo, éste se ocupará de establecer la comunicación con dicho equipo y con otros facultativos, como el reumatólogo.

Las mayoría de las personas que padecen problemas articulares durante muchos años recibirán regularmente visitas a domicilio de su médico de cabecera, para revisar el tratamiento y el estado general del paciente. El médico de cabecera valorará los efectos de la enfermedad sobre el entorno familiar y es la persona idónea para prepararlo psicológicamente ante una afección que se prolongará indefinidamente.

A continuación, detallaremos las causas más comunes de la artritis y las medidas terapéuticas que puede esperar de su médico de cabecera o especialista.

ARTRITIS REUMATOIDE

A pesar de los numerosos estudios realizados sobre la artritis reumatoide, aún se desconoce su causa, si bien se ha comprobado que está relacionada, hasta cierto punto, con el sistema inmunitario (v. cap. I). Al parecer, las hormonas femeninas influyen sobre la enfermedad, puesto que durante el embarazo se aprecia una mejora en alrededor del 60 % de las mujeres. Desgraciadamente, todavía se desconoce la causa de dicha mejora.

Síntomas

Los síntomas de la artritis reumatoide pueden manifestarse de manera súbita, con inflamación, tumefacción y dolor en varias articulaciones. Aunque suele afectar sobre todo las articulaciones metacarpofalángicas (articulaciones de la mano) y los nudillos, cualquier articulación puede estar involucrada. A menudo, los síntomas se atribuyen a un «ataque de reuma», por lo que pueden pasar semanas o incluso meses antes de que el paciente acuda al médico, lo que permite que la enfermedad evolucione. Por otro lado, la artritis reumatoide puede afectar una sola articulación, como la rodilla. En tal caso, es importante diferenciarlo de otros tipos de artritis, así como de infecciones y de la gota.

Complicaciones

El proceso inflamatorio de la artritis reumatoide puede afectar otras partes del cuerpo. En particular, puede producir una falta de lubricación de los globos oculares, lo que se denomina «síndrome del ojo seco», que llega a ser muy molesto. Los colirios ayudan a aliviar dicha sequedad. Una de las complicaciones más graves es la *iritis*, que se caracteriza por la inflamación aguda y el enrojecimiento del globo ocular y, a menudo, visión borrosa. Requiere un tratamiento urgente mediante gotas para *dilatar* la pupila y corticoides, también en forma de gotas, para reducir la inflamación. El paciente debe someterse a reconocimientos periódicos por parte de un especialista, ya que puede ser de carácter recurrente. Existe una gran variedad de posibles complicaciones que sólo afectan a una minoría de personas. Éstas incluyen la rotura tendinosa, la inflamación de los vasos sanguíneos y problemas renales.

Diagnóstico y análisis

Debido a que existen muchas variedades de artritis reumatoide, su diagnóstico puede ser complicado. En las radiografías no se aprecian cambios articulares hasta 3 meses (o incluso más) después del inicio de los síntomas, por lo que suelen realizarse cuando la enfermedad se encuentra en una fase más avanzada. En cambio, los análisis de sangre suelen ser de ayuda para el diagnóstico. Normalmente, se realiza un recuento de los glóbulos rojos para comprobar si el paciente padece *anemia* (disminución del número de glóbulos rojos), así como una prueba sanguínea denominada *velocidad de sedimentación globular* (VSG), que permite conocer la magnitud de la inflamación.

Se puede realizar una prueba más específica para investigar la presencia de una sustancia denominada *fac-*

tor reumatoide. Se trata de una proteína concreta, denominada inmunoglobulina M (IgM), que forma parte de la respuesta inmunitaria y reacciona con otra proteína, la inmunoglobulina G (IgG). Ante la presencia de dicha proteína se dice que la artritis es *seropositiva*, hecho que ocurre en el 70 % de las personas con artritis reumatoide. Por desgracia, esta prueba no es definitiva, ya que personas sanas tienen esta proteína en la sangre y, paradójicamente, en algunos individuos que padecen la enfermedad no se encuentra. Si se detecta el factor reumatoide se procede a medir su nivel; si éste es elevado, el pronóstico es poco favorable. Es posible que sea necesario realizar diversos análisis de sangre más especializados para comprobar la presencia de otros anticuerpos y, de este modo, excluir algunas enfermedades relacionadas con la artritis reumatoide, denominadas *enfermedades del colágeno*, como el *lupus eritematoso sistémico* (v. pág. 59).

Pronóstico

Es difícil predecir las consecuencias de la artritis reumatoide, porque su evolución es muy variable. Alrededor de dos tercios de las personas que padecen esta enfermedad mantienen un nivel de salud razonable y pueden llevar una vida normal o con un grado moderado de invalidez. Esta evolución es más probable en presencia de ciertos factores, incluyendo, sorprendentemente, un inicio súbito y agudo de los síntomas. Si éstos remiten, el pronóstico a largo plazo es más favorable y con menor grado de invalidez que en los casos en que los síntomas son crónicos. No obstante, un tercio de los afectados presentará una invalidez parcial, cuyos primeros signos son la formación de nódulos subcutáneos y el deterioro paulatino de las articulaciones, que se puede apreciar en las radiografías. También es un signo de mal pronóstico la afectación de otros órganos, como los pulmones o el hígado.

Herencia

Cuando a una persona se le diagnostica artritis reumatoide, suele surgir el temor de que la enfermedad sea hereditaria, aunque esta transmisión genética es poco probable y, además, difícil de pronosticar. Los estudios realizados sobre mellizos demuestran que también influyen factores medioambientales. Recientemente, se ha descubierto que ciertos *marcadores genéticos*, entre ellos el denominado HLA-DR4, están relacionados con la artritis reumatoide y otras enfermedades similares. Su presencia en la sangre, detectada mediante un análisis especial, indica una mayor propensión a padecer artritis reumatoide, pero no significa que la enfermedad se presentará indefectiblemente. En la actualidad, dicho análisis de sangre se realiza con escasa frecuencia, dada su baja precisión, pero es probable que en el futuro se desarrollen técnicas más exactas.

Tratamientos físicos

Los especialistas que pueden ayudarlo con ejercicios físicos son el fisioterapeuta y el especialista en rehabilitación. La mayoría de los consultorios médicos no disponen de fisioterapeutas. No obstante, es probable que la mayoría de las personas que padecen artritis reumatoide grave o moderada tengan que acudir al hospital, donde disponen de equipos más avanzados, así como medios de rehabilitación. La *hidroterapia*, técnica que consiste en la práctica de ejercicios específicos en una piscina climatizada, está al alcance de casi todas las personas que viven en zonas urbanas, pero a los habitantes de zonas rurales los obliga a realizar largos desplazamientos. La mayoría de los pacientes experimentan una mejora en la movilidad articular al poco tiempo de practicar hidroterapia, pero ésta suele provocar intensa fatiga. Por esta razón, mientras dura el tratamiento, es aconsejable llevar una vida reposada.

Cuando las articulaciones o los tendones están muy inflamados, es necesario dejar en reposo los miembros afectados, tras lo cual el fisioterapeuta procederá a entablillarlos. Si las *vértebras cervicales* (huesos del cuello) se ven afectadas, es posible que el paciente tenga que llevar un collarín. Su objetivo es aliviar el dolor flexionando la cabeza ligeramente hacia adelante y estirando el cuello para disminuir la presión sobre las terminaciones nerviosas que se hallan entre las vértebras. No obstante, sólo debe utilizarse durante un período breve, ya que su uso prolongado puede debilitar los músculos del cuello que mantienen las vértebras en su lugar. En tal caso, son imprescindibles los ejercicios del cuello.

Para el dolor crónico de la columna vertebral se emplea un dispositivo denominado *estimulador nervioso transcutáneo*, que consiste en una pequeña caja con electrodos que se aplican sobre los puntos de acupuntura del cuerpo y administran impulsos eléctricos repetidos. Este dispositivo estimula los nervios y alivia el dolor. El estimulador nervioso ayuda al organismo a producir sus propias sustancias analgésicas, denominadas *endorfinas*. Por razones aún desconocidas, este tratamiento no resulta eficaz en todos los casos, pero, como apenas produce efectos secundarios, merece la pena probarlo.

Tratamiento farmacológico

Durante muchos años, el medicamento de elección para el tratamiento de la artritis reumatoide fue la aspirina administrada en grandes dosis. En la actualidad, la aspirina ha sido totalmente sustituida por un grupo de fármacos de estructura similar, denominados antiinflamatorios no esteroideos (AINE) (v. cap. I). Éstos se utilizan para el tratamiento de diversos trastornos, entre ellos las lesiones musculares y articulares y muchas formas de artritis.

ANTIINFLAMATORIOS NO ESTEROIDEOS MÁS COMUNES

Ibuprofeno (nombre comercial: **Neobrufen**)
Naproxeno (nombre comercial: **Naprosyn**)
Piroxican (nombre comercial: **Feldene**)
Ácido mefenámico (nombre comercial: **Coslan**)
Diclofenaco (nombre comercial: **Voltaren**)

Estos fármacos se recetan anualmente a millones de personas y constituyen un porcentaje muy elevado del presupuesto de los médicos de cabecera. A corto plazo, no producen efectos secundarios significativos, pero su uso prolongado debe hacerse bajo indicación médica. Estos medicamentos alivian los síntomas de rigidez, dolor y tumefacción al inhibir la producción de *prostaglandinas*, sustancias causantes de la inflamación. No alteran la evolución de la enfermedad ni afectan su pronóstico, pero sin duda permiten a los pacientes afectados llevar una vida relativamente normal. El principal efecto secundario es la irritación de la mucosa gástrica, que provoca indigestión, náuseas y vómitos. Si aparecen estos síntomas, hay que interrumpir inmediatamente el tratamiento y consultar con el médico. Algunos pacientes que se someten a tratamientos prolongados desarrollan úlceras gástricas, a veces sangrantes. Así, puede detectarse la presencia de sangre en el vómito, que presentará el aspecto de café molido si ha sido parcialmente digerida, o en las heces, si la sangre ha sido digerida, con deposiciones alquitranadas de color negro. En estos casos debe consultarse inmediatamente al médico. Estos efectos secundarios son menos frecuentes cuando el AINE se administra junto con un antihistamínico H_2, como la *cimetidina*, que reduce la cantidad de ácido gástrico en el estómago y protege la mucosa gástrica. Este tipo de combinaciones se encuentran disponibles en fármacos que asocian ambos compuestos.

Entre los efectos secundarios menos comunes se encuentra la supresión de la actividad de la médula ósea (que produce células sanguíneas y otras sustancias que ayudan a la coagulación de la sangre), provocando anemia y problemas coagulatorios. Por lo tanto, las personas que siguen un tratamiento prolongado deben someterse a análisis de sangre con frecuencia. Al parecer, algunos AINE de aplicación externa, disponibles en forma de pomada también pueden producir efectos secundarios, pues, tras su aplicación, las sustancias llegan a la sangre y pueden afectar la mucosa gástrica. Es probable, asimismo, que las pomadas sean menos eficaces que los comprimidos. Algunos AINE pueden administrarse en *supositorios* (forma medicamentosa sólida destinada a ser introducida en la vagina, el recto o la uretra). Sus efectos se potencian si se toman por la noche y reducen la rigidez matinal, pero si se introducen en el recto pasan a la sangre con facilidad y, por tanto, pueden producir síntomas gástricos. En casos de dolor agudo, los AINE se administran en forma de inyección.

Medicamentos de segunda línea

Cuando la enfermedad persiste y no se consigue aliviar los síntomas con los AINE, existen otros medicamentos disponibles para intentar contrarrestar la evolución de la enfermedad y, de este modo, frenar el deterioro de las articulaciones. Aunque es el especialista quien suele prescribir este tipo de tratamientos, el médico de cabecera se ocupa del seguimiento y la evaluación de sus efectos. Para poder evaluar su eficacia, el tratamiento debe durar al menos 6 meses.

Sulfasalazina (nombre comercial: Salazopyirina)

También se utiliza para tratar las inflamaciones intestinales, como la *colitis ulcerosa*. Suele administrarse en comprimidos durante varias semanas, en dosis progresivamente crecientes. Puede desencadenar reacciones alérgicas, en particular sarpullidos, fiebre, náuseas e indigestión, pero por lo demás se tolera relativamente bien. Su uso prolongado puede producir la supresión de la actividad de la médula ósea. Para prevenirlo es conveniente realizar análisis periódicos.

Oro

Suele administrarse en forma de inyección de sales de oro, después de someter al paciente a pruebas alérgicas. Las inyecciones se administran durante varios meses, o incluso años, y el oro va acumulándose en el cuerpo. Probablemente, es uno de los medicamentos de reserva más eficaces si el paciente lo tolera. En la actualidad, el oro ya no suele administrarse en comprimidos puesto que éstos son menos eficaces que las inyecciones, si bien su tolerancia es mayor. La función renal puede resultar afectada, por lo que deben realizarse análisis de sangre y orina periódicos. Si aparecen úlceras bucales u otros efectos secundarios, hay que interrumpir el tratamiento.

Penicilamina (nombre comercial: Cupripen)

La penicilamina es uno de los tratamientos de reserva más utilizados y de mayor eficacia de los últimos años, que suele utilizarse cuando el paciente no tolera las inyecciones de oro. Su efecto puede tardar varios meses en manifestarse y, al igual que otros medicamentos, su prescripción debe realizarla el médico. Puede causar sarpullidos.

Hidroxicloroquina

Este antipalúdico, poco utilizado en la actualidad, presenta varios efectos secundarios potenciales, pero puede emplearse cuando otros fármacos son ineficaces o no son tolerados por el enfermo. Su principal efecto adverso es la lesión de la *retina* (membrana sensible del globo ocular). Por esta razón, el paciente debe someterse a revisiones médicas regulares. Administrada en comprimidos, la hidroxicloroquina no afecta la sangre y, por tanto, puede administrarse a las personas en las que no es posible efectuar análisis de sangre de forma regular.

Medicamentos de tercera línea

Corticoides

Estos fármacos han sido objeto de muchas críticas, debido a la gran variedad de efectos secundarios que producen. La *prednisolona* (nombre comercial: Solu-Dacortin), el más común de este tipo de medicamentos, se administra en comprimidos recubiertos de una sustancia protectora a fin de reducir la irritación del estómago. Hoy en día, los corticoides sólo se prescriben en casos de artritis reumatoide muy graves, ya que los pacientes disponen de otros medicamentos de segunda línea más eficaces. No obstante, para las personas que no toleran los medicamentos de segunda línea, los corticoides pueden aliviar notablemente el dolor y la tumefacción de las articulaciones. A veces, se administran en grandes dosis al comienzo del tratamiento, para luego reducirlas paulatinamente a lo largo de 1 o 2 semanas. Sin embargo, algunas personas que padecen una enfermedad crónica activa han de tomar pequeñas dosis durante más tiempo. Los pacientes que reciben este tratamiento deben estar bajo control del reumatólogo y del médico de cabecera y someterse a revisiones periódicas para detectar posibles efectos secundarios, como la *osteoporosis* y la diabetes. Si se aprecia un aumento de peso hay que tomar medidas inmediatamente para no sobrecargar las articulaciones.

Los corticoides administrados en inyecciones intraarticulares suelen provocar menores efectos secundarios. Empleados de este modo, alivian notablemente el dolor de todas las articulaciones, pero existe el riesgo, aunque pequeño, de infección de la articulación después de administrar la inyección. Por lo demás, esta vía de administración es muy eficaz.

Azatioprina (nombre comercial: Imurel)

Este fármaco, utilizado para suprimir las respuestas inmunes después de efectuar un trasplante de órgano, modifica, al parecer la evolución de la enfermedad. Puede administrarse junto con corticoides, y, en algunos casos, en sustitución de éstos. La azatioprina produce muchos efectos secundarios, como supresión de la actividad medular, y no todas las personas la toleran. Los pacientes sometidos a este tratamiento deben someterse a frecuentes análisis de sangre. Se administra en comprimidos o en inyecciones.

Sus efectos pueden persistir durante varias semanas después de terminar el tratamiento.

Otros tratamientos

Existen otros fármacos que inhiben las respuestas inmunes y se utilizan después de los trasplantes de órganos y para tratar otras enfermedades graves. Debido a sus efectos secundarios potencialmente graves, sólo se utilizan para tratar enfermedades de evolución rápida. El metotrexato, la ciclofosfamida y el clorambucilo son algunos ejemplos de estos medicamentos.

Cirugía

La reparación de tendones y la sustitución de articulaciones lesionadas se realizan a menudo y con éxito. El paciente, junto con su médico de cabecera y el cirujano ortopédico que va a realizar la intervención, deciden el momento en que es oportuno realizar la sustitución. El dolor constituye uno de los factores decisivos, así como el grado de invalidez y deformidad. Actualmente, es posible sustituir incluso las articulaciones del codo y del hombro, lo que mejora la calidad de vida de muchas personas.

Consejos generales y de autoayuda

Aunque todavía no existe curación para las variedades de artritis más comunes, hay muchas cosas que pueden mejorar la calidad de vida del que la padece. Así, debe seguir los consejos y las indicaciones de su médico sobre su enfermedad, cumplir escrupulosamente el tratamiento y tener en cuenta los posibles efectos secundarios.

Ejercicio físico

El ejercicio físico regular es muy importante para mantener las articulaciones flexibles y los músculos fuertes; incluso si la práctica de ejercicio se acompaña de dolor, raras veces éste provoca lesiones persistentes. Por lo general, la natación constituye una opción práctica, ya que el agua sostiene el peso del cuerpo, permitiendo realizar distintos ejercicios que favorecen la movilidad de las articulaciones. No obstante, si no ha realizado actividad física alguna durante un tiempo o padece otra enfermedad, es aconsejable consultar previamente con su médico.

Dieta

Se han realizado muchos estudios sobre la relación entre la dieta y la artritis, con el fin de establecer si determinadas dietas pueden desencadenar la enfermedad y si afectan su evolución. En algunos casos, evitar determinados alimentos, como los productos lácteos y la carne roja, alivia los síntomas de la enfermedad (v. cap. III). No obstante, una de las características de la artritis reumatoide es su curso en forma de brotes de progresión y remisión, por lo que hasta ahora no ha podido demostrarse científicamente la influencia de la dieta. En cualquier caso, es aconsejable siempre seguir una dieta rica en frutas y verduras frescas, alta en fibra y baja en grasas animales. Este tipo de dieta protege frente a las enfermedades cardíacas, la diabetes y algunos cánceres. Asimismo, ayuda a controlar el peso, un factor muy importante para disminuir la presión y la tensión sobre las articulaciones, particularmente en los casos de artrosis reumatoide de la rodilla, porque al caminar esta articulación soporta la mayor parte del peso del cuerpo.

Por lo general, los facultativos desaprueban las declaraciones a favor o en contra de determinadas dietas, como las que se limitan a un número muy reducido de alimentos o las que son ricas en aceites de pescado, pero estudios recientes han dado resultados prometedores. En caso de duda, debe consultar con su médico, que puede referirlo a un dietista.

Actitud

Es difícil ser optimista cuando se padece una enfermedad crónica cuyo pronóstico es incierto, sobre todo si se tienen obligaciones familiares. No obstante, se ha demostrado que los pacientes que se muestran activos y perseveran en el tratamiento, el ejercicio físico y los demás consejos médicos suelen sentirse mejor y necesitan menos analgésicos que los que son pesimistas e inactivos. Cada vez existen más pruebas que demuestran la relación «mente-cuerpo». Es decir, si una persona se convence de que está sana, tendrá más capacidad para hacer frente a los síntomas de su enfermedad y es posible que este optimismo influya en su pronóstico.

A las personas que padecen una variedad crónica de artritis, les puede resultar difícil mantener una actitud positiva. A menudo, conocemos a alguien que ha quedado totalmente inválido y no ha podido beneficiarse de los tratamientos más recientes, lo que aumenta nuestra preocupación. Tener un buen concepto de sí mismo requiere tiempo y esfuerzo. Probablemente, su médico de cabecera no sea la persona más indicada para ayudarlo a conseguirlo. Al fin y al cabo, ¡sólo acudimos a la consulta de nuestro médico cuando estamos enfermos!

Aunque con limitaciones, las terapias alternativas pueden ayudarlo a alcanzar este objetivo. De todos modos, es mejor ser realista en cuanto al grado de ayuda que dichas terapias pueden proporcionarle en la elaboración de un buen concepto de sí mismo. Todavía no se ha descubierto un «remedio» para la artritis reumatoide, ni para las enfermedades afines, pero las terapias alternativas consiguen que la vida de los pacientes sea más llevadera y que el dolor y la rigidez articulares sean menores.

Depresión

La incertidumbre con respecto al pronóstico de la artritis reumatoide puede causar depresión clínica en algunas personas. Éste es un problema frecuente, pero se manifiesta de forma tan paulatina que ni el afectado ni su familia advierten su existencia. Hay una gran diferencia entre «sentirse con pocas fuerzas» y padecer una enfermedad que afecta el estado de ánimo, le vuelve lloroso, indolente y, a veces, le hace sentirse culpable sin razón alguna. Los trastornos del sueño y la pérdida del apetito, peso y libido son síntomas de depresión, que pueden pasar inadvertidos en una persona con una enfermedad crónica.

Si usted presenta alguno de los síntomas mencionados, debe consultar con su médico. Puesto que los medicamentos antidepresivos suelen aumentar el umbral del dolor, la necesidad de tomar analgésicos o antiinflamatorios será menor. En general, los antidepresivos se utilizan para ayudar a los pacientes con dolor crónico, y son efectivos incluso en las personas que no presentan síntomas de depresión. Es posible que no se adviertan cambios durante los primeros días del tratamiento, pero en la mayoría de los casos el ciclo del sueño, el apetito y el estado de ánimo mejoran a los 10 o 14 días de su administración.

Si su médico de cabecera lo considera oportuno, puede recomendarle acudir a un psicólogo. Asimismo, existen grupos de autoayuda para los artríticos, dirigidos por pacientes afectados y voluntarios. Sus consejos y experiencia son muy útiles.

ENFERMEDADES DEL COLÁGENO

Existen enfermedades poco frecuentes que afectan el tejido conjuntivo del organismo, es decir, el tejido que fortalece los huesos y ligamentos. Entre ellas, se encuentran el *lupus eritematoso sistémico*, la *dermatomiositis* y la *esclerodermia*. Estas enfermedades, potencialmente graves, afectan muchos órganos del cuerpo y su etiología se relaciona con el mal funcionamiento del sistema inmunitario. Todas ellas pueden manifestarse por dolores articulares o musculares y se detectan mediante pruebas sanguíneas específicas similares a la del factor reumatoide para la artritis reumatoide. Debido a la gravedad de estas enfermedades, se recurre a los tratamientos con corticoides, que en estos casos resultan muy eficaces. Por lo general, es el reumatólogo el que establece el diagnóstico y el tratamiento de esta enfermedad, pero el médico de cabecera es el responsable de controlar su evolución.

ARTROSIS

Los estudios radiográficos revelan que alrededor del 50 % de las personas mayores de 65 años padece cierto grado de artrosis. Sin embargo, no todos los individuos afectados presentan síntomas (descritos en el cap. I). Todavía se desconoce el mecanismo responsable de la artrosis que, a diferencia de la artritis reumatoide, apenas afecta la membrana sinovial, pero ataca el cartílago y causa lesiones óseas, en forma de quistes. Como consecuencia de la deformación articular, se reduce el espacio entre las superficies articulares, que rozan entre sí produciendo crujidos. Pueden desarrollarse osteófitos (excrecencias óseas); cuando éstos se localizan en las vértebras del cuello, comprimen las terminaciones nerviosas, causando dolor en los hombros y los brazos. Con menor frecuencia se produce la inflamación aguda de las articulaciones.

Al igual que la artritis reumatoide, puede ser hereditaria, pero los factores medioambientales, entre otros, desempeñan un papel más importante en la evolución de la enfermedad.

Diagnóstico

No existe un análisis definitivo para detectar la artrosis. Así, el médico suele basar el diagnóstico en la historia médica y el reconocimiento de las articulaciones del paciente. Éstas presentan cambios característicos en las radiografías, que difieren de los que se observan en la artritis reumatoide. En la mayoría de los casos hay una reducción evidente del espacio que separa las superficies articulares de los huesos. En caso de duda, es aconsejable efectuar el análisis específico para detectar el factor reumatoide.

Complicaciones

Cuando la enfermedad afecta las caderas o las rodillas, suelen limitarse las actividades de la vida diaria del paciente. La precaria salud de las personas de edad avanzada les impide someterse a intervenciones quirúrgicas, por lo que deben vivir con su invalidez. Los miembros del equipo de atención primaria pueden ofrecer al paciente diversas alternativas, como terapia ocupacional, fisioterapia y la ayuda práctica, que permitirá a los afectados llevar una vida lo más autónoma posible. Elementos ortopédicos sencillos, como las plantillas correctoras y las tablillas para las rodillas y los tobillos, pueden aumentar la movilidad del paciente.

Tratamiento y medidas generales

Se ha demostrado que un peso corporal moderado y el ejercicio físico ayudan a impedir la evolución de la artrosis, por lo que es aconsejable controlar el peso y realizar alguna actividad física.

Los analgésicos comunes, como el paracetamol y la aspirina, son adecuados para las personas con artrosis benigna; los antiinflamatorios pueden proporcionar un mayor alivio, pero no contrarrestan el proceso degenerativo de la enfermedad. Algunos estudios han sugerido la existencia de un componente reparador para la enfermedad, lo que abre esperanzas sobre el futuro desarrollo de un medicamento que evite o, al menos, disminuya el deterioro articular. Como en el caso de la artritis reumatoide, las inyecciones intraarticulares de corticoides pueden proporcionar un gran alivio. Además de los medicamentos, la única terapia convencional a la que se puede recurrir es la sustitución de la articulación afectada. Debido al aumento del número de personas de edad avanzada, la demanda de este tipo de intervenciones se ha incrementado durante las últimas décadas, y los pacientes exigen ser tratados por un especialista, lo que representa un reto al que han de enfrentarse todos los sistemas de sanidad pública del mundo occidental.

GOTA

Por lo general, existe la creencia de que la gota sólo afecta a hombres mayores; aunque es menos frecuente, también se dan casos entre mujeres. La gota es causada por *hiperuricemia*, es decir, por el exceso de ácido úrico en la sangre, el cual precipita en forma de cristales que se depositan en las articulaciones. Los cristales provocan una reacción inflamatoria aguda, que suele acompañarse de dolor intenso. Las articulaciones aparecen calientes e hinchadas y se vuelven muy sensibles al tacto. Cualquier articulación del cuerpo puede resultar afectada. Si transcurren varios años antes de tratar la enfermedad, pueden depositarse cristales en los riñones, causando lesiones irreversibles. Alrededor del 20 % de las personas con gota crónica —forma relativamente rara en la actualidad— desarrollan *tofos*, que son agregados de cristales de urato que se depositan en las articulaciones y en la dermis, sobre todo en el pabellón auricular. La gota crónica conduce a la destrucción articular y artrosis secundaria. El exceso de alcohol y determinados alimentos, como los arenques, el extracto de levadura y la carne roja, pueden desencadenar los ataques de gota.

Diagnóstico

A menudo, el reconocimiento médico del paciente es suficiente para diagnosticar la gota, especialmente si aquél ya presenta antecedentes, pero es necesario diferenciarla de otras enfermedades que también producen tumefacción articular aguda. Entre ellas se encuentran algunas enfermedades infecciosas y la denominada *seudogota*, que se manifiesta en personas mayores de 55 años y suele localizarse en las rodillas. En la seudogota, los cristales están compuestos por la sustancia química denominada *pirofosfato*.

Habitualmente, el diagnóstico de gota se establece con facilidad basándose en la historia clínica del paciente y la localización del dolor. El análisis de sangre confirma la existencia de niveles elevados de ácido úrico. Sin embargo, en ocasiones se detectan altas concentraciones de ácido úrico en personas que no presentan síntomas de inflamación articular, por lo que se recurre a la extracción y al análisis microscópico del líquido sinovial para el diagnóstico de certeza de la enfermedad. De esta forma, se identifican los cristales de urato, que se diferencian de los de pirofosfato. Si no hay cristales en el líquido sinovial, es posible que exista una infección en la articulación, en cuyo caso debe ser tratada inmediatamente. Por lo tanto, si una articulación se inflama en forma aguda y se acompaña de intenso malestar general, se debe acudir al médico con urgencia.

Dieta

Las *purinas*, sustancias presentes en grandes cantidades en muchos alimentos, se metabolizan produciendo ácido úrico. En muchos casos es suficiente con eliminar dichos alimentos y reducir o evitar el consumo de alcohol para prevenir la gota. Desde el descubrimiento del alopurinol, el control dietético ha dejado de ser esencial para el control de la enfermedad, pero no debe subestimarse su importancia. Por lo general, una dieta baja en grasas animales y alta en fibra, fruta y verduras frescas evita las enfermedades y favorece la longevidad.

Tratamiento

Analgésicos

El paracetamol o la aspirina son suficientes para tratar un ataque de gota moderado, pero la mayoría de los afectados necesitan un tratamiento más potente. Los comprimidos de paracetamol y codeína se pueden comprar sin receta médica.

Antiinflamatorios no esteroideos

Estos medicamentos se recetan sobre todo para los ataques agudos, ya que reducen la inflamación articular (para una descripción detallada, v. tratamiento de la artritis reumatoide).

Colchicina

Este medicamento, que constituye uno de los tratamientos más antiguos, es eficaz para los ataques agudos. La dosis debe aumentarse gradualmente. Es adecuada para las personas en las que los AINE producen efectos secundarios graves o han padecido úlceras gástricas. Su empleo para prevenir los ataques agudos ha disminuido desde la introducción del alopurinol. Los efectos secundarios son poco frecuentes, pero pueden incluir náuseas, vómitos y sarpullidos. Debe administrarse con precaución junto a otros medicamentos, puesto que, por ejemplo, potencia los efectos de los sedantes.

Alopurinol (Zyloric)

Administrado una vez al día, este medicamento previene completamente los ataques de gota en muchas personas y constituye el tratamiento profiláctico más generalizado. Actúa inhibiendo la formación de cristales de ácido úrico en las articulaciones. No es eficaz en el ataque agudo ya instaurado y puede aumentar los episodios gotosos durante los primeros meses del tratamiento, por lo que a menudo se administra junto con antiinflamatorios. Aunque se tolera bastante bien, puede producir sarpullidos o náuseas y, en casos excepcionales, hormigueo en las manos y los pies. Si aparecen estos síntomas, debe suspenderse su administración.

Probenecid

Este medicamento aumenta la eliminación de ácido úrico en la orina y, al igual que el alopurinol, no es eficaz en el caso de un ataque agudo. Se administra en forma de tabletas y, en combinación con determinados antibióticos, se intensifican sus efectos. Al actuar sobre los riñones, aumenta el riesgo de formación de cálculos. Presenta numerosas interacciones con una gran variedad de medicamentos, por lo que no se prescribe con frecuencia.

ESPONDILITIS ANQUILOPOYÉTICA Y ENFERMEDADES AFINES

Hay un grupo de enfermedades que presentan ciertas características comunes, a las que se denomina *espondiloartritis seronegativas*. Entre ellas se incluyen la espondilitis anquilopoyética, la artropatía psoriásica, la artritis asociada a la colitis ulcerosa y el síndrome de Reiter. En ocasiones, estas enfermedades pueden coexistir, es decir, la presencia de una de ellas en un paciente hace más probable la aparición de otra enfermedad del mismo grupo. En todas ellas se ha demostrado cierta tendencia hereditaria a padecerlas. Una parte de los individuos afectados presentan un marcador genético específico, el cual orienta sobre el riesgo de padecer cualquiera de estas enfermedades. Este marcador se denomina HLA-B27. El término *seronegativo* indica que la prueba sanguínea para detectar el factor reumatoide ha sido negativa.

SÍNDROME DE REITER

Esta enfermedad se caracteriza por el cuadro sintomático de *uretritis*, que produce dolor al orinar, *conjuntivitis*, que causa enrojecimiento de los ojos, y *artritis*, que afecta unas pocas articulaciones simultáneamente. Es frecuente en varones jóvenes y, a veces, se confunde con enfermedades de transmisión sexual, en particular la clamidiasis, cuya existencia debe descartarse o, de lo contrario, tratarse. El síndrome de Reiter puede ser de carácter crónico o agudo y sus síntomas se tratan con antiinflamatorios.

ESPONDILITIS ANQUILOPOYÉTICA

Afecta sobre todo la porción lumbar de la columna vertebral y la pelvis y se manifiesta en varones jóvenes. Esta enfermedad presenta una fuerte tendencia hereditaria, y su asociación al marcador genético HLA-B27 es más estrecha que la de otras enfermedades del mismo grupo. Si no se diagnostica a tiempo, la inflamación de la columna vertebral puede conducir al anquilosamiento total de las vértebras lumbares. También puede causar una inflamación ocular denominada *iritis*, que requiere tratamiento urgente para evitar lesiones irreversibles.

La medida terapéutica más importante es el mantenimiento de la flexibilidad de la columna vertebral mediante la práctica diaria de ejercicios y, si es necesario, sesiones de fisioterapia adicionales. Muchas personas toman a diario una sola dosis de AINE antes de acostarse para aliviar la rigidez de la columna vertebral, que suele ser más acusada por la mañana.

POLIMIALGIA REUMÁTICA

Todavía se desconoce la causa de esta enfermedad que afecta, casi exclusivamente, a personas mayores de 50 años. Se caracteriza por el dolor y la rigidez de la parte superior de las extremidades, a menudo acompañados de hipersensibilidad en los músculos de la parte superior del brazo. Los pacientes presentan malestar general, pérdida de apetito y de peso y tendencia a la depresión. En ocasiones, se asocia a la inflamación de la *arteria temporal* (arteria principal de las sienes). Sin tratamiento, puede llegar a causar ceguera repentina. Por consiguiente, ante la aparición súbita de un dolor agudo en esta zona debe consultar con su médico. No hay un análisis específico para detectar esta enfermedad, pero la prueba de velocidad de sedimentación globular (VSG), descrita con anterioridad, muestra que ésta se halla notablemente aumentada. Es posible obtener muestras de la arteria temporal y observarlas al microscopio para identificar posibles cambios inflamatorios. Cuando la polimialgia se presenta en forma aislada, por lo general dosis bajas de corticoides y de AINE por vía oral son suficientes para controlar los síntomas. Sin embargo, la arteritis de la temporal entraña un grave peligro para los ojos, por lo que inicialmente se requieren dosis elevadas de corticoides hasta que disminuye la VSG, y luego se reducen de manera progresiva. Algunas personas tienen que tomar estos fármacos durante mucho tiempo.

ARTRITIS INFANTIL

La artritis también afecta a los niños y a individuos jóvenes. Las enfermedades víricas, como la *rubéola*, pueden producir tumefacción articular, que a menudo persiste durante varias semanas después de la desaparición de la enfermedad inicial; otros virus en los niños producen cuadros clínicos similares. Las infecciones bacterianas que atacan las articulaciones son poco frecuentes en los niños, pero muy graves. Suelen localizarse en el fémur y el húmero. Si las bacterias alcanzan la corriente sanguínea, el niño puede resultar gravemente enfermo. Por consiguiente, todo niño con una o varias articulaciones hinchadas debe ser visto con urgencia por un médico.

Existen varios tipos de artritis juvenil, de origen desconocido, que se clasifican de acuerdo con su forma de inicio con el nombre genérico de *artritis crónica juvenil*. Cuando sólo se afectan una o dos articulaciones y el cuadro se caracteriza por la aparición de fiebre y sarpullido, se denomina *enfermedad de Still*, nombre del médico del Hospital de Great Ormand Street que describió la enfermedad. Tanto si se afectan unas pocas articulaciones como varias de ellas, la artritis puede manifestarse en forma aislada, es decir, no acompañarse de enfermedad generalizada. La deformación articular suele ser menor en los niños que en los adultos. El método utilizado para examinar a un niño depende de la fase en que se encuentra la enfermedad cuando aquél es visto por el médico. En primer lugar, es importante descartar la posibilidad de que se trate de una infección articular mediante análisis de sangre y radiografías, para lo cual suele requerirse el ingreso hospitalario del niño. La mayoría de los problemas que se plantean en estos casos, aunque benignos, requieren la experiencia de un pediatra o un reumatólogo infantil. Los análisis necesarios suelen incluir la VSG y la determinación de los glóbulos rojos para comprobar si el paciente tiene anemia. El factor reumatoide será negativo en la mayoría de los niños, excepto en algunos adolescentes que padecen una enfermedad similar a la artritis reumatoide.

Por lo general, el tratamiento es difícil debido al malestar general del paciente. A la mayoría de los niños se les administran AINE, y también suele ser necesario un tratamiento con corticoides orales para controlar la enfermedad. El principal problema de este tratamiento es que puede impedir el crecimiento, por lo que requiere una supervisión rigurosa. En las pruebas clínicas realizadas en niños con artritis reumatoide utilizando los medicamentos de segunda y tercera línea, descritos previamente, el *metotrexato* ha dado resultados alentadores, si bien su uso es aún poco frecuente. Todos los tratamientos para la artritis reumatoide utilizados en los adultos pueden emplearse en los niños, y las inyecciones intraarticulares son particularmente eficaces para restablecer la movilidad articular.

Pronóstico

La artritis crónica juvenil comprende varias enfermedades, por lo que es difícil establecer un pronóstico. No obstante, se ha demostrado que cuando afecta un número reducido de articulaciones, el 50 % de los afectados se recupera espontáneamente. Un número considerable de niños sigue padeciendo inflamación articular hasta la madurez, pero el grado de deformidad suele ser menor que el de las personas que desarrollan la enfermedad a una edad más avanzada. Existen muchos marcadores genéticos que, hasta cierto punto, permiten predecir la evolución de la enfermedad. Por ejemplo, el 20 % de los niños con el marcador HLA-B27 desarrollarán espondilitis anquilopoyética en la edad adulta.

Es el médico de cabecera el que debe proporcionarle apoyo y explicaciones sobre el tratamiento de la artritis juvenil, así como controlar los efectos secundarios y actuar como intermediario entre los padres del niño y el especialista.

En este capítulo se han descrito algunas de las principales causas de artritis, pero hay muchos tipos de dolor articular y muscular que no son fácilmente diagnosticables. Las molestias y los dolores lumbares en el cuello y los hombros son frecuentes y a menudo se relacionan con malas posturas, problemas de peso o mala forma física. No debe sorprenderse si su médico le aconseja que pierda peso y que practique más ejercicio físico, en vez de recetarle un medicamento. Los AINE, los fármacos que suelen prescribirse con mayor frecuencia, lo ayudarán sólo hasta cierto punto. La consulta con un médico de medicina alternativa puede ser beneficiosa cuando se sepa con certeza que no existe una causa subyacente grave. En cualquier caso, siempre debe comunicar su decisión a su médico de cabecera y asegurarse de que el terapeuta está debidamente cualificado.

III

NUTRICIÓN: ALIMENTOS PARA
ARTICULACIONES SANAS

Durante los últimos cien años ha habido muchos avances en el campo de la nutrición, que se han desarrollado en distintas fases. Inicialmente se comprobó que enfermedades como el escorbuto y la pelagra eran de origen *deficitario* (enfermedades causadas por una falta de nutrientes esenciales). Una vez demostrada la relación entre los alimentos y la salud, se logró curar fácilmente las enfermedades deficitarias mediante la inclusión de los nutrientes de que carecía el paciente. De este modo, cobró importancia el concepto de dieta equilibrada (la que evita la aparición de las enfermedades).

Posteriormente, la nutrición pasó a desempeñar un papel en la prevención de las enfermedades y no sólo en su tratamiento. La investigación demostró que existía un importante vínculo entre el consumo diario de nutrientes y el desarrollo, la evolución y la curación de muchas otras enfermedades, aparte de las denominadas deficitarias. Más tarde, se descubrieron los efectos de la nutrición sobre el sistema inmunitario y su posible efecto preventivo en el cáncer, las enfermedades cardíacas y otras enfermedades como la artritis y la osteoporosis.

La mejora de la calidad de la dieta y la administración de suplementos dietéticos que estimulen el sistema inmunitario, pueden aliviar el dolor y reducir las inflamaciones, además de disminuir los efectos secundarios de algunos medicamentos. No obstante, antes de considerar los factores dietéticos, es importante referirse al vínculo entre las enfermedades degenerativas relacionadas con el sistema inmunitario —las enfermedades del siglo XX— y la dieta. Los nutricionistas están de acuerdo en que una dieta carente de los nutrientes adecuados constituye un factor de riesgo para el desarrollo de las enfermedades modernas.

La OMS recomienda el consumo diario de 400 g de fruta y verduras, incluyendo legumbres, semillas y frutos secos para mantener un estado de salud óptimo. También señala que las dietas de los países occidentales no contienen suficientes nutrientes esenciales y que, a pesar de estar sobrealimentados, estamos desnutridos. No obstante, es imprescindible entender que la terapia nutricional no proporciona píldoras o pociones mágicas para curar o prevenir determinadas enfermedades.

NUTRIENTES Y ALIMENTOS

Para estar sanos, todos necesitamos una cantidad equilibrada de nutrientes. Pero, ¿qué cantidad? Por ejemplo, los requerimientos dietéticos de una mujer embarazada están aumentados debido a que ha de alimentar al feto; los adolescentes necesitan mayor cantidad de nutrientes para asegurar su crecimiento y desarrollo; las personas de edad avanzada requieren nutrientes adicionales para combatir el envejecimiento; mientras que los ejecutivos necesitan cantidades adicionales de nutrientes para contrarrestar los efectos nocivos del estrés. Según su actividad, cada individuo requerirá una cantidad distinta de nutrientes. Incluso existen diferencias entre los hombres y las mujeres, independientemente de su edad y otros factores, en cuanto a las cantidades de nutrientes necesarios.

Una dieta equilibrada no garantiza que los alimentos que consumimos conserven íntegramente sus propiedades. Los alimentos contienen las vitaminas que nuestro cuerpo no puede elaborar, pero son sustancias delicadas e inestables que pueden ser destruidas en los procesos de elaboración utilizados por las empresas alimentarias. En el tránsito desde su lugar de origen hasta los supermercados, los alimentos pierden gran parte de sus vitaminas y minerales, y los restantes es posible que se pierdan antes de llegar a la mesa, entre el congelador y el microondas. Es imprescindible comer verduras, pero ¿cómo podemos saber que sus cualidades están todavía intactas?

CONSEJOS DIETÉTICOS

Para mantener los huesos y las articulaciones sanas, lo principal es seguir una dieta baja en grasas, de alto contenido en fibra, y con las cantidades adecuadas de vitaminas y minerales. Una buena dieta debe incluir frutas y verduras frescas variadas, pan integral, cereales, alubias y legumbres, así como pequeñas cantidades de carne magra, pollo y pescado (no se debe abusar de las proteínas). Se han de tomar medidas para evitar la obesidad y el exceso de peso, en particular las personas que padecen artritis.

Si se detectan carencias de determinados nutrientes, pueden tomarse suplementos dietéticos en forma de pastillas, cápsulas o jarabe, previa consulta con un nutricionista cualificado, para mantener el equilibrio correcto entre nutrientes.

Las vitaminas y los minerales intervienen de forma coordinada en los procesos vitales del cuerpo. Por ejemplo, tanto la vitamina D como el magnesio son necesarios para una correcta absorción del calcio. La vitamina C es requerida para la absorción del hierro, y la vitamina E impide la oxidación de las vitaminas A y D. Algunos nutrientes reducen el nivel de otros cuando se toman solos. Por ejemplo, la ingestión en grandes cantidades de cinc puede producir una reducción del cobre del organismo y exacerbar enfermedades existentes. El consumo aislado de ciertos suplementos dietéticos puede resultar superfluo e ineficaz e, incluso, causar una deficiencia en los niveles de otros nutrientes, provocando así la inestabilidad en todo el sistema.

A veces, los fármacos producen deficiencias dietéticas debido a que consumen o destruyen los nutrientes. Antes de prescribir un programa de suplementos dietéticos equilibrado, el nutricionista debe estudiar cuidadosamente las posibles interacciones medicamentosas y los déficit nutritivos.

NORMAS DE ORIENTACIÓN PARA UNA ALIMENTACIÓN SANA

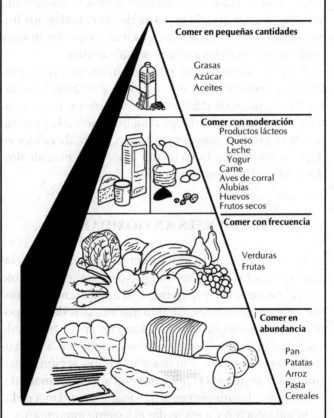

Comer en pequeñas cantidades

Grasas
Azúcar
Aceites

Comer con moderación
Productos lácteos
Queso
Leche
Yogur
Carne
Aves de corral
Alubias
Huevos
Frutos secos

Comer con frecuencia

Verduras
Frutas

Comer en abundancia

Pan
Patatas
Arroz
Pasta
Cereales

La pirámide de la alimentación sana fue desarrollada por especialistas en nutrición de Estados Unidos. Indica con toda claridad los alimentos que deben comerse en grandes cantidades y aquellos cuyo consumo ha de reducirse a pequeñas cantidades.

Equilibrio ácido-básico e inflamación

El equilibrio ácido-básico de los alimentos desempeña un papel muy significativo en las enfermedades inflamatorias. Entre los alimentos ácidos se encuentran la carne, el pescado, la mayoría de los cereales, los frutos secos y los productos lácteos. Casi todas las frutas y verduras, excepto los cítricos, son alcaloides.

Para una persona que padece artritis, una dieta predominantemente alcaloide ayudará a reducir la inflamación. A pesar de que la mayoría de los expertos reconocen que las necesidades dietéticas de cada persona son distintas, por lo general estiman que la dieta idónea debe estar compuesta en un 80 % por alimentos alcaloides y en un 20 % por alimentos ácidos.

NUTRIENTES ANTIOXIDANTES

En el capítulo I hemos descrito el daño potencial causado por los radicales libres. No obstante, es posible protegerse de su efecto pernicioso aumentando el consumo de *antioxidantes*. De esta manera se reduce la posibilidad de que se produzcan lesiones en los tejidos de las articulaciones. Dichas lesiones conducen a la acumulación de líquidos y al dolor y la tumefacción consiguientes que sufren las personas con artritis reumatoide. Por lo tanto, los nutrientes antioxidantes ayudan a reducir la inflamación y a estimular el sistema inmunitario.

Vitamina C

La vitamina C es quizá la sustancia antioxidante mejor estudiada. El ácido ascórbico —nombre científico de esta vitamina— es soluble en el agua y proporciona protección antioxidante a los compartimientos acuosos de las células, los tejidos y los órganos. Dado que el organismo humano no es capaz de elaborarla, depende de los alimentos para obtener esta sustancia nutritiva vital.

En relación con la artritis, la vitamina C es imprescindible para la formación de *colágeno*, principal componente de los huesos y cartílagos. Por lo tanto, es crucial para tener articulaciones sanas.

Se encuentra en los cítricos, las verduras, las patatas y los zumos de frutas. El consumo adecuado de estos alimentos ayudará a estimular el sistema inmunitario.

Vitamina E

También denominada *alfatocoferol*, la vitamina E es una sustancia nutritiva muy potente que, al igual que muchas otras, desempeña un papel primordial en el mantenimiento de la salud. Favorece la circulación sanguínea, lo cual aumenta el aporte de oxígeno a los músculos y potencia la capacidad física de una persona.

Como antioxidante, la vitamina E cumple muchas funciones vitales. Estabiliza las membranas y neutraliza los radicales libres, protege los ojos, la piel, el hígado, las manos y los músculos de las pantorrillas y favorece el almacenamiento y la conservación de la vitamina A en el organismo. Su acción es potenciada por otros antioxidantes, como la vitamina C y el selenio.

Entre los alimentos ricos en vitamina E se encuentran los aceites elaborados en frío (de germen de trigo, de azafrancillo, de girasol, de soja), las nueces, las semillas, el germen de trigo, los espárragos, las espinacas, el brécol, la mantequilla, los plátanos y las fresas.

Vitamina A

Entre los alimentos que contienen vitamina A se incluyen los huevos, la leche, el hígado de cordero, el aceite de hígado de halibut, el aceite de hígado de bacalao, los productos lácteos, los riñones de cerdo, la ternera, la caballa y las sardinas enlatadas.

Cinc

El cinc está presente en las alfamacroglobulinas, importantes proteínas del sistema inmunitario. Por consiguiente, la carencia de este mineral afectará gravemente las defensas del organismo. Asimismo, el cinc puede ayudar al cuerpo a eliminar determinados metales tóxicos (sobre todo, el cadmio y el plomo, presentes en los gases de los tubos de escape), lo que beneficia al sistema inmunitario.

El cinc es también esencial para la división y el funcionamiento celulares normales. Por lo que, además de sus funciones como antioxidante, actúa también como protector de las células. Debido a que forma parte de la enzima antioxidante *superóxido-dismutasa*, el cinc influye en la inflamación y es especialmente activo, junto con el hierro, en el líquido sinovial de las articulaciones.

Selenio

En el pasado se creía que este microelemento antioxidante, cuyo nombre deriva de la diosa griega de la luna, Selene, era un veneno, hasta que se descubrió que prevenía la degeneración del tejido hepático. Además de ser un antioxidante, el selenio actúa como cofactor mineral del *glutatión-peroxidasa*, enzima que inhibe la producción de las *prostaglandinas* en la inflamación.

Hierro

Además de participar en el transporte de oxígeno a las células, el hierro es necesario para el funcionamiento de la enzima antioxidante superóxido-dismutasa. Por lo tanto, es importante para las enfermedades inflamatorias, como la artritis. Los niveles de hierro, al igual que los de cinc, están aumentados en el líquido sinovial de las articulaciones artríticas, lo que indica una mayor actividad a fin de combatir la lesión articular.

Calcio y magnesio

El 99 % del calcio —el mineral más abundante en el organismo— se halla en los huesos y los dientes. No obstante, el 1 % presente en los músculos, los nervios y la sangre desempeña un papel fundamental en algunas enzimas. El magnesio es necesario para el uso apropiado del calcio, así como la vitamina D para su absorción.

ACEITES DE PESCADO

Los pacientes con artritis reumatoide que han tomado cápsulas de aceite de pescado afirman experimentar una mejoría de la rigidez articular al despertarse por las mañanas. En muchos países, la medicina popular recomienda ingerir aceite de pescado para «lubricar las articulaciones». Sin embargo, la creencia de que el aceite de pescado «lubrica» las articulaciones como si fueran las bisagras de una puerta que rechina es falsa; no surte efecto alguno.

No obstante, las pruebas clínicas han demostrado que los extractos de aceite de pescado constituyen un tratamiento eficaz para la artritis. En una exhaustiva investigación llevada a cabo por especialistas se demostró que, tras la administración de aceites de pescado y aceite de onagra, un amplio número de pacientes podían reducir la dosis de medicamentos antiartríticos. Éste constituye un claro ejemplo de la eficacia de los medicamentos naturales, libres de efectos secundarios.

Los ácidos grasos presentes en los aceites de pescado son el *eicosapentaenoico* y el *docosahexaenoico*. Ambos pueden transformarse en sustancias antinflamatorias, con capacidad para aliviar el dolor y la rigidez articular.

La mayoría de las personas asocian los aceites de pescado al aceite de hígado de bacalao. Durante siglos este aceite se ha utilizado para prevenir las enfermedades invernales. En 1752, en el Hospital de Manchester, el doctor Samuel Kay empleó el aceite de hígado de bacalao para tratar el dolor reumático y las enfermedades óseas. Los médicos victorianos lo utilizaban para tratar la gota, la tuberculosis, la bronquitis, las enfermedades dérmicas crónicas y el raquitismo. A pesar de que los médicos de aquella época consideraban que el aceite de hígado de bacalao era un tratamiento eficaz, se desconocía su mecanismo de acción. Con el descubrimiento de las vitaminas en 1912, los científicos empezaron a comprender cómo actuaba esta sustancia y por qué era beneficiosa para la salud.

Posteriormente se descubrió que constituía una de las fuentes más ricas de vitaminas A y D. Ya entonces se sabía que ambas vitaminas eran necesarias para mantener sanos la piel, los dientes y los huesos. Se descubrió que la gran eficacia del aceite de hígado de bacalao en el raquitismo (enfermedad ósea de carácter debilitante durante el período de crecimiento de los niños) se debía a su contenido en vitamina D, cuya carencia causa dicha enfermedad. Durante la revolución industrial, los casos de raquitismo eran comunes entre los hijos de los trabajadores, que pasaban gran parte de sus vidas trabajando en condiciones muy precarias.

Debido a estos descubrimientos, el aceite de hígado de bacalao se consideraba un alimento esencial para favorecer el crecimiento y desarrollo de los niños. Actualmente, el raquitismo es poco frecuente en los países occidentales, pero en algunos países sigue recomendándose para prevenir el raquitismo. Además de obtener vitamina D de los alimentos, el organismo la sintetiza bajo la acción de los rayos solares sobre la piel. Las personas de tez clara pueden sintetizarla con facilidad, pero para las de tez oscura es más difícil absorber la cantidad de rayos solares necesarios para elaborar la vitamina D.

Durante los años setenta, los científicos descubrieron que el aceite de hígado de bacalao no era el único aceite de pescado con propiedades beneficiosas. Estudios realizados en los esquimales de Groenlandia revelaron una incidencia muy baja de enfermedades cardíacas y artritis reumatoide, en comparación con la del resto del mundo occidental, a pesar de que dicha población consumía una dieta alta en grasas animales y proteínas y baja en fibra.

Dos científicos daneses, John Dyerberg y Hans Bang, tomaron muestras de sangre de los esquimales durante un viaje a Groenlandia en 1976 cuando acompañaron al doctor Hugh Sinclair, un bioquímico nutricional, que demostró que los esquimales tienen un nivel muy bajo de colesterol, a pesar de que su dieta contiene más grasas animales que cualquier otra del mundo.

Cuando Dyerberg y Bang analizaron las grasas en la sangre de los esquimales encontraron que ésta contenía un nivel muy elevado de los ácidos grasos esenciales eicosapentaenoico y docosahexaenoico. Como consecuencia, las investigaciones sobre este tema se multiplicaron. Así, han publicado en revistas médicas los resultados de algunos estudios sobre la relación entre dichos ácidos grasos omega-3 y las enfermedades cardíacas. En particular, se ha observado que el ácido eicosapentaenoico reduce el nivel total de colesterol y de lipoproteínas de baja densidad (LDL) y aumenta el de las lipoproteínas de alta densidad (HDL). De esta forma pudo demostrarse la vieja creencia de que el pescado es bueno para la salud.

Aunque el nombre parezca de ciencia-ficción, omega-3 designa un grupo de ácidos grasos esenciales, derivados sobre todo de los pescados grasos, como la caballa, el salmón y el arenque. Se denominan «esenciales» porque el organismo humano no es capaz de elaborarlos y debe obtenerlos de los alimentos.

Se ha demostrado que los concentrados de aceite de pescado alivian la tumefacción y la hipersensibilidad articular, la rigidez matutina y el dolor en pacientes con artritis reumatoide. Se cree que los aceites de pescado inhiben la producción de unas moléculas denominadas *leucotrienos B4* (que presentan potentes propiedades inflamatorias) y de *interleucina 1* (sustancia relacionada con el deterioro del cartílago y la pérdida de apetito de la artritis reumatoide).

El pescado constituye la principal fuente dietética de ácidos grasos esenciales omega-3, pero, desgraciadamente, en Europa se consume cada vez menos. Una de las medidas básicas para proteger nuestra salud es aumentar el consumo de los siguientes pescados (todos ricos en ácidos grasos omega-3):

- caballa
- arenques
- sardinas
- atún (fresco)
- trucha
- salmón.

ACEITE DE ONAGRA

La mayoría de los aceites vegetales contienen ácido linoleico, un ácido graso esencial. Una dieta normal contiene una cantidad suficiente de este ácido graso. No obstante, el organismo tiene que convertirlo en una sustancia similar a la hormona prostaglandina E_1 (PGE_1) para poder utilizarlo. Algunas prostaglandinas estimulan la inflamación, mientras que otras la reducen. La PGE_1 es una prostaglandina antiinflamatoria. La conversión del ácido linoleico en PGE_1 comprende varias fases. En primer lugar, el ácido linoleico de los aceites vegetales se transforma en *ácido gamma-linolénico*, después en *ácido dihomogammalinolénico* y, finalmente, en PGE_1. Desafortunadamente, esta conversión suele plantear numerosas dificultades y puede ser inhibida o afectada gravemente por una multitud de factores, entre ellos, los virus, el colesterol, la deficiencia de vitaminas o minerales y el proceso de envejecimiento.

El aceite de onagra contiene gran cantidad de ácido gammalinolénico y, por lo tanto, puede ayudar a combatir el efecto de los factores adversos. Por consiguiente, el ácido gammalinolénico de la dieta constituye una valiosa fuente pues proporciona un material fácilmente transformable en PGE_1. Estudios recientes indican que el aceite de onagra puede aliviar el dolor y la rigidez producidos por la artritis reumatoide. Se ha demostrado que este aceite ayuda a regular el sistema inmunitario, favoreciendo el reconocimiento de sus propias células y de las sustancias extrañas (v. cap. I). De esta forma, ayuda a combatir las enfermedades autoinmunes, como la artritis reumatoide, en las cuales el sistema inmunitario funciona de forma hiperactiva, atacando las articulaciones. Cuando se usa junto con aceites de pescado, los resultados son aún mejores.

SUPERÓXIDO-DISMUTASA

Al parecer, esta enzima contrarresta la acción de los radicales libres. Normalmente es producida por los núcleos de las células del organismo, pero a veces en cantidades insuficientes. Así, es posible que los grandes fumadores, que producen gran cantidad de superóxido-dismutasa, se autoprotejan del cáncer, mientras que las personas que fuman menos lo desarrollan. Los suplementos dietéticos con superóxido-dismutasa pueden fortalecer el sistema inmunitario y disminuir la posibilidad de que se desarrollen enfermedades relacionadas con dicho sistema.

Existen procedimientos para medir el nivel existente de superóxido-dismutasa y, actualmente, se están llevando a cabo investigaciones para predecir cómo fluctúa dicho nivel. La superóxido-dismutasa es capaz de reducir los *lipoperóxidos* (radicales libres que tienen una vida media prolongada y son extremadamente dañinos si se encuentran en el organismo en exceso).

CARTÍLAGO DE TIBURÓN Y MEJILLÓN DE LABIOS VERDES

El extracto de cartílago de tiburón, a pesar de su desagradable consistencia, es una sustancia nutritiva de eficacia demostrada para aliviar los síntomas de la artritis reumatoide. Impide el desarrollo de las células cancerígenas al inhibir su aporte sanguíneo; este proceso se denomina *antiangiogénesis*. Sus efectos han sido comprobados también en perros con artrosis por un veterinario belga. No obstante, el cartílago de tiburón es un descubrimiento bastante reciente y no está ampliamente comercializado; aún se espera que las investigaciones científicas establezcan su mecanismo de acción. Por otra parte, su uso es cuestionable desde el punto de vista de la ecología.

El extracto de mejillón de labios verdes es originario de Nueva Zelanda, donde los maoríes lo han utilizado durante siglos para curar diversas enfermedades. Las propiedades antiinflamatorias del mejillón de labios verdes provienen de sus gónadas, y sus efectos en la reducción de la hinchazón y de la inflamación se han puesto de manifiesto durante varias décadas. Las personas artríticas suelen experimentar cierta mejoría después de 6 meses de tratamiento con extracto de mejillón de labios verdes. A pesar de su demostrada eficacia, las investigaciones realizadas no han podido hallar una explicación de su valor terapéutico.

CONSIDERACIONES NUTRICIONALES

- Todos los nutrientes antioxidantes, como el cinc, el selenio y las vitaminas A, C y E, desempeñan un papel fundamental en todas las enfermedades del sistema inmunitario.
- Quienes no realizan ejercicio regularmente son más vulnerables a la pérdida de calcio de los huesos (v. «Ejercicios antiartríticos», pág. 92). La ingestión adicional de calcio y magne-sio ayudará a los pacientes con artritis reumatoide.
- En la artritis reumatoide a menudo existen desequilibrios en el nivel de ácido clorhídrico, molestias gastrointestinales y disminución de la absorción de nutrientes. Las enzimas digestivas pueden aliviar estos síntomas.
- Los ácidos grasos esenciales denominados *omega-6*, que se encuentran en el aceite de onagra, son muy beneficiosos para el organismo.
- El aceite de pescado es la fuente más rica en ácidos grasos omega-3, los cuales son más difíciles de obtener que los omega-6 a partir de la dieta.

RECOMENDACIONES DIETÉTICAS PARA LA ARTROSIS

- Bajo consumo de azúcar.
- Dieta baja en grasas no saturadas.
- Suplementos dietéticos para la artritis reumatoide (v. pág. 90).
- Asimismo, se recomiendan el calcio y el magnesio, sobre todo para las personas jóvenes.

Alimentos terapeuticos
- Semillas de sésamo, alcachofas, judías verdes, mijo, apio, cebada, quingombó, almendras, grelos, leche de cabra fresca, cerezas, piña, berro, zarzamoras, grosellas negras, limas, lechuga y aceite de oliva.

Alimentos que deben evitarse
- Productos animales, leche de vaca y otros productos lácteos, ya que contienen sustancias que pueden provocar la inflamación.
- Espinacas, ruibarbo, verduras de la familia de las solanáceas (tomates, pimientos verdes, patatas, pimienta de Jamaica, berenjenas, tabaco), café, cafeína, azúcar y alimentos refinados y fritos.

RECOMENDACIONES DIETÉTICAS PARA LA ARTRITIS REUMATOIDE

- Bajo consumo de azúcar.
- Dieta baja en grasas insaturadas.

Alimentos terapéuticos
- Incremento de los ácidos grasos omega-3 y omega-6: verduras, nueces, semillas oleaginosas, arenques, salmón, caballa, sardinas y aceite de onagra.
- Semillas de sésamo, alcachofas, judías verdes, mijo, apio, cebada, quingombó, almendras, grelos, leche de cabra fresca, cerezas, piña, berros, zarzamoras, grosellas negras, limas, lechuga y aceite de oliva.

- Zumos de fruta naturales: apio y perejil, pepino, endibias, manzana y pomelo.

Alimentos que deben evitarse
- Productos animales, leche de vaca y otros productos lácteos, ya que estimulan el mediador proinflamatorio PGE_2.
- Espinacas, ruibarbo, verduras de la familia de las solanáceas (tomates, pimientos verdes, patatas, pimienta de Jamaica, berenjenas, tabaco), café, cafeína, azúcar y alimentos refinados y fritos.

Suplementos dietéticos
- Complemento vitamínico de amplio espectro: un comprimido diario.
- Vitamina C: 1.000 mg por día.
- Vitamina E: 400 UI por día.
- Aceite de onagra: 2 o 3 g por día.
- Aceite de pescado: 3 o 4 g por día.

LA NUTRICIÓN: BASE FUNDAMENTAL DE TODAS LAS TERAPIAS

Por lo general, los facultativos que practican la medicina, tanto convencional como alternativa, afirman que todas las enfermedades se deben al deterioro de las funciones naturales del cuerpo, y una de las principales causas de este deterioro es la mala nutrición.

Hipócrates, el *padre de la medicina,* señaló este hecho hace dos mil años. Pero sus palabras, «Deja que los alimentos sean tu medicina, y tu medicina los alimentos», parecen haber sido olvidadas por la medicina moderna.

Sin duda, nuestros conocimientos actuales sobre el proceso patológico de la artritis han contribuido a elaborar medicamentos específicos para contrarrestar los síntomas, pero sus efectos son beneficiosos sólo a corto plazo. Estos medicamentos alivian los síntomas, pero no curan ni previenen la enfermedad. La vuelta al concepto de los alimentos como medicinas evitará con seguridad muchos problemas.

Sólo hace poco se ha empezado a comprender que los cambios en el estilo de vida y los hábitos alimentarios de los últimos cien años constituyen una gran carga para nuestros cuerpos. Mediante su sistema inmunitario, el organismo humano tiene una capacidad extraordinaria para combatir virus, bacterias y otros microorganismos que forman parte de la vida cotidiana. Sin embargo, una carencia de nutrientes puede debilitar el sistema inmunitario e inhibir su función, favoreciendo la aparición de una gran variedad de enfermedades. Así pues, es fácil deducir la importancia de la nutrición en la prevención de la artritis y el reumatismo.

EJERCICIOS ANTIARTRÍTICOS

La actividad física mantiene la movilidad de las articulaciones y reduce la posibilidad de que se anquilosen. Los ejercicios de fortalecimiento aumentan la densidad ósea y retienen el calcio contenido en los huesos, pero, para ser efectivos, deben practicarse de forma regular. No obstante, el exceso de actividad física es perjudicial e incluso puede debilitar el sistema inmunológico.

Una actividad física razonable y regular no sólo mantiene y mejora la densidad ósea, sino que también mantiene los músculos relajados y hace trabajar el *sistema cardiovascular* (corazón y vasos sanguíneos), asegurando un aporte de sangre eficaz a todos los órganos. Asimismo, el ejercicio físico mejora la resistencia, relaja la mente y ayuda a dormir mejor. Después de realizar cualquier actividad física, suele experimentarse una sensación de bienestar. Ésta se debe a que, durante el ejercicio físico el cuerpo libera endorfinas. Por consiguiente, su valor terapéutico es innegable, pero ¿cuál es la mejor actividad física para los artríticos?

La natación es el mejor ejercicio físico, ya que el agua sostiene el peso del cuerpo, favorece la movilidad, estimula la acción cardiovascular y hace trabajar a los músculos y los cartílagos. Es una actividad suave que no sobrecarga el cuerpo, como hacen el *footing*, el *squash* y el *aerobic*. La jardinería es una buena actividad para fortalecer el cuerpo, y la marcha rápida es beneficiosa para la circulación, los músculos y las articulaciones.

Realice alguna actividad física de forma regular. Intente nadar, pasear, o trabajar en el jardín, o practique ejercicios de yoga o *tai chi* a diario, aunque sólo sea durante 15 minutos. Un poco de ejercicio físico todos los días le será más beneficioso que dos sesiones intensivas por semana. Tenga cuidado de no excederse; si siente algún dolor, incluso 2 horas después de haber realizado una actividad física, practíquela durante menos tiempo la próxima vez.

IV

HIERBAS MEDICINALES: LA
FARMACIA DE LA NATURALEZA

La medicina tradicional se desarrolló a partir de la
medicina herbolaria. La mayoría de los fármacos sinteti-
zados en el laboratorio procedían, inicialmente, de las
hierbas medicinales tradicionales: por ejemplo, la aspirina se obtenía de la reina de los prados y el sauce,
mientras que ciertos corticoides, que ahora se sintetizan
a partir de un producto químico, en el pasado se ex-
traían de la batata silvestre de México. Por lo tanto, la medicina tradicional reconoce la eficacia de la fitoterapia
o curación mediante las plantas. Según la Organización
Mundial de la Salud, la fitoterapia es el tipo de medicina
más practicado en el mundo. En la segunda mitad del siglo XIX aparecieron en Europa las primeras asociaciones
de fitoterapeutas que, desde el inicio de sus actividades
hasta nuestros días, han tenido que resistir el acoso de
ciertos estamentos de la medicina convencional interes-
sados en prohibir la práctica herbal.

Recientemente, ha resurgido en Occidente el interés por este tipo de medicina, coincidiendo con una serie de hechos, como la mayor aprensión por los fármacos modernos, debido principalmente a sus efectos secundarios, el auge de la ecología y la mayor concienciación por la preservación del medio ambiente. Su creciente popularidad se debe a que un número cada vez mayor de personas ha comprobado su eficacia, sin tener que padecer efectos secundarios. Esto no quiere decir que todas las hierbas medicinales sean totalmente inocuas. Algunas hierbas, como la digital, deben utilizarse con sumo cuidado, puesto que una sobredosis puede ser tóxica. No obstante, las hierbas medicinales constituyen un tratamiento más suave para nuestro organismo que los potentes fármacos sintéticos que prescriben los médicos tradicionales.

ENFOQUE HOLÍSTICO

Para comprender y practicar la fitoterapia es vital contemplar el tratamiento desde un punto de vista holístico. Los herbolarios creen que el peligro de los fármacos modernos radica en que, durante los procesos de fabricación, se aíslan y sintetizan las sustancias activas de las plantas a fin de producir medicamentos muy potentes, pero se pierden otros componentes, probablemente desconocidos que refuerzan a las sustancias activas y brindan protección frente a sus efectos secundarios. Por ejemplo, los diuréticos químicos cumplen con su objetivo, que es aumentar la eliminación de orina, pero su uso prolongado suele disminuir los niveles de potasio del organismo. El descenso de potasio debilita el sistema nervioso, inhibe las funciones musculares, disminuye la tensión arterial y causa fatiga. Los herbolarios recetarían diente de león como diurético: esta planta no sólo estimula la producción de orina, sino que también contiene grandes cantidades de potasio, que restablecen sus niveles en el cuerpo.

Esta actitud «aislacionista» no sólo afecta a la medicina. Por ejemplo, la caña de azúcar natural contiene una sustancia que protege los dientes frente a las caries. No obstante, la industria alimentaria despoja a la caña de azúcar de todos sus ingredientes y sustancias, dejando sólo la sacarosa. El resultado es, por consiguiente, una sustancia muy dulce, pero que produce caries, engorda muchísimo e incluso crea adicción.

La actitud «aislacionista» se manifiesta también en la forma en que los médicos enfocan la curación. Por ejemplo, un médico tradicional recetaría un tratamiento preventivo a un paciente con jaqueca. Sin embargo, un facultativo holístico querrá saber de qué tipo de jaqueca se trata, su causa y los síntomas asociados. En otras palabras, no sólo considera los síntomas, sino también el estado de salud general del paciente, teniendo en cuenta, además de los aspectos físicos, los componentes emocionales, psicológicos y espirituales. Los facultativos holísticos tratan el cuerpo en su totalidad, y no sólo una parte de él; tratan al individuo, no una enfermedad. Si acude a un médico holístico, no es simplemente para tratar una enfermedad, sino para mantener su salud en buen estado. La salud es algo más que la ausencia de enfermedad para el médico holístico: es un estado positivo y vital.

HIERBAS Y SALUD

Para un médico herbolario o fitoterapeuta, una hierba es mucho más que para un *chef* de cocina. Las hojas de una planta son, por supuesto, hierbas, al igual que sus raíces. Pero el término «hierba» incluye también las semillas, la corteza y las flores. De hecho, las hierbas son cualquier parte de un vegetal que puede ser beneficiosa para la salud y la curación de procesos patológicos. Asimismo, las hierbas medicinales incluyen musgos, hongos y algas.

Actualmente, es posible adquirir preparados de hierbas de venta libre en comprimidos, pero también tomar remedios herbales en forma de tisanas, jarabes, gotas y pomadas.

¿CÓMO ACTÚA LA FITOTERAPIA?

Las fórmulas herbales desempeñan tres funciones básicas: eliminar las sustancias tóxicas y las bacterias nocivas, relajar y tonificar el cuerpo y, por último, nutrir los tejidos, los órganos y la sangre, estimulando los poderes autocurativos del cuerpo.

Se cree que las plantas medicinales estimulan las respuestas neuroquímicas que forman parte del proceso normal de curación. Al tomar estos medicamentos en dosis moderadas durante un período de tiempo, estas respuestas bioquímicas llegan a hacerse automáticas, incluso cuando se suspende el tratamiento.

ADMINISTRACIÓN DE LAS HIERBAS MEDICINALES

Puesto que la fitoterapia es holística, se utiliza para mantener el buen estado general de salud. Por ejemplo, una dosis diaria de ajo es beneficiosa para la circulación y para prevenir las infecciones. Una hierba como la manzanilla actúa como calmante y se puede tomar en forma de tisana. También es posible tomar las hierbas en líquido de las siguientes maneras:

- *Decocción:* para preparados de raíces y cortezas. Echar una cucharada llena de hierba seca en polvo en un cazo de acero inoxidable (no de aluminio), con medio litro de agua hirviendo, y dejar hervir a fuego lento durante 10-15 minutos. Colar y tomar.
- *Infusión:* para hierbas frescas o secas, a granel o en bolsita. Con este método, primero se calienta una tetera y se echa una cucharada de hierba o se introduce una bolsita por persona. Después se vierte una taza de agua hirviendo por persona y se deja reposar durante 10-15 minutos.
- *Tintura:* es un preparado concentrado de hierbas maceradas en alcohol, por lo que sólo debe tomarse en pequeñas dosis.

Se pueden comprar hierbas frescas en tiendas especializadas, algunas verdulerías o recolectarlas en el campo. Si decide recoger hierbas silvestres, tiene que estar seguro de cuál es la planta que busca, de que la zona en la que las recoge no ha sido fumigada con fertilizantes químicos y de que no se encuentra cerca de una vía transitada, ya que podría estar contaminada por los gases de los tubos de escape. No recoja plantas que no conozca y asegúrese de que las que recoge no son especies protegidas.

Como alternativa, puede cultivar hierbas en su jardín, pues crecen con relativa facilidad y se venden esquejes en la mayoría de los viveros.

FITOTERAPIA OCCIDENTAL

Los fitoterapeutas cualificados están capacitados para realizar reconocimientos médicos. Las técnicas de diagnóstico se asemejan a las de un médico de cabecera, y utilizan los mismos métodos y equipo para tomar la tensión arterial y el pulso o para analizar muestras de sangre y orina. Los fitoterapeutas y herbolarios suelen pertenecer a asociaciones gremiales o sanitarias específicas.

Los médicos fitoterapeutas pueden proporcionar consejos específicos sobre el uso de las hierbas medicinales para tratar problemas graves o crónicos. Los estudios de fitoterapia de la School of Herbal Medicine del Reino Unido tienen una duración de cuatro años. En la primera consulta, el fitoterapeuta suele preguntar al paciente datos sobre su historia clínica, sus hábitos alimentarios, el tipo de ejercicio físico que realiza y el grado de estrés a que está sometido en su vida cotidiana. Una vez que ha establecido el diagnóstico, el fitoterapeuta receta al paciente la hierba o la combinación de hierbas que debe tomar, su posología y la forma de administración (en tintura, en pastillas o en infusión).

Remedios herbales occidentales para el tratamiento de la artritis y del reumatismo

La artritis y el reumatismo pueden estar causados por un solo factor o por una combinación de varios factores, entre los cuales se incluyen una nutrición deficiente, malas posturas, exceso de frío y humedad, un aparato digestivo perezoso y la herencia. A fin de tratar la enfermedad con eficacia, la elección del remedio herbal tiene en cuenta el tipo de artritis o reumatismo. Por ejemplo, es posible que se utilice una hierba *rubefaciente*, que estimule la circulación y alivie el dolor y la inflamación local. El jengibre y la cayena son hierbas rubefacientes que se aplican localmente para aliviar los síntomas.

Los diuréticos ayudan a eliminar sustancias tóxicas del cuerpo, como las que producen la artritis. Entre las plantas con propiedades diuréticas se encuentran el diente de león, la milenrama y el apio. Las plantas que actúan como antiinflamatorios, como la reina de los prados, la batata silvestre y el saúco negro, pueden reducir la tumefacción y aliviar el dolor.

Los purificadores de la sangre eliminan las sustancias nocivas y purifican la sangre, lo que permite que ésta desempeñe su papel de suministrar oxígeno. Para este fin, el apio es eficaz.

La valeriana y la manzanilla son excelentes relajantes y pueden ayudar a aliviar el dolor. Asimismo, actúan como sedantes, por lo que resultan muy útiles en los casos en que el dolor impide el sueño.

Existe un sinfín de hierbas beneficiosas para aliviar el dolor producido por la artritis o el reumatismo, pero no pueden tomarse todas simultáneamente. En todo caso, es aconsejable consultar con un fitoterapeuta cualificado, que le recetará la fórmula herbal que más se ajuste al tipo de dolor que padece, teniendo en cuenta las necesidades de su organismo.

FITOTERAPIA CHINA

Antes de recetar una hierba, el herbolario chino somete al paciente a un reconocimiento médico minucioso. La toma del pulso constituye la principal técnica de diagnóstico. El fitoterapeuta coloca alternativamente los dedos índices, corazón y anular sobre ambas muñecas del paciente y, según la posición y la presión ejercida con los dedos puede diagnosticar el estado de los órganos, las extremidades y la circulación. La filosofía de la fitoterapia china sobre la curación se basa en la armonía entre el *yin* y el *yang*, las fuerzas opuestas, pero complementarias, que rigen el universo, incluyendo a los seres humanos y sus interacciones. El *yin* representa la oscuridad, el frío y la inactividad, mientras que el *yang* es la luz, el calor y el movimiento. El predominio del *yin* se manifiesta por agotamiento, pasividad y debilidad, mientras que el del *yang* se traduce en irritabilidad, excitabilidad e hiperactividad. El uso correcto de las hierbas puede restablecer la armonía entre estas dos fuerzas.

Según los herbolarios chinos, los alimentos son medicinas y las medicinas son alimentos. Por lo tanto, es posible recetar una dieta concreta junto con un remedio herbal. La comida china contiene muchas de las hierbas que se utilizan en la fitoterapia.

Remedios herbales chinos para la artritis y el reumatismo

- **Zheng Gu Shui.** Es una tintura basada en un remedio popular chino. Mundialmente reconocida, se utiliza para aliviar no sólo el dolor de la artritis, sino también dolores musculares en general. Se aplica a la zona afectada y se deja secar. Sólo tarda unas horas en aliviar el dolor.

- **I-Yi-Jen Tang** (Coix lachryma-jobi). Es una fórmula derivada de la planta lágrimas de Job y otras seis hierbas. Ampliamente reconocida, el gobierno japonés aprueba su uso en el tratamiento de la artritis. Se administra a personas que padecen artritis, pero que por lo demás gozan de buena salud y tienen un aparato digestivo fuerte. Se expende en cápsulas, que se toman 3 veces al día.

- **Shu-Ching-Huo-Hsieh-Tang** (clemátide y esteba). Es una fórmula que contiene 17 hierbas. Al igual que la anterior, el gobierno japonés aprueba su uso en el tratamiento de la artritis y de enfermedades relacionadas con ella. Es apta para las personas con problemas de salud. Se expende en cápsulas, que se toman 3 veces al día.

- **Jenshen** (ginseng). Entre sus numerosos efectos, esta hierba alivia el dolor de la artritis y el reumatismo. Se puede tomar diariamente en forma de cápsula o tisana para aliviar el dolor. No obstante, es aconsejable no tomarlo durante más de 6-8 semanas seguidas sin la supervisión de un herbolario cualificado.

- **Han-Ch'In** (apio). Las semillas del apio se utilizan para preparar una decocción, que se toma 2 veces o más al día. A menudo también se prescribe una dieta rica en apio.

- **Bálsamo de dragón chino.** Es un bálsamo de extractos de plantas que alivia el dolor artrítico y reumático. Su uso está muy extendido. Se puede comprar en tiendas de dietética.

Consejos dietéticos

Además de recetar uno de los remedios mencionados, es posible que los herbolarios, tanto chinos como occidentales, prohíban los alimentos grasos (cerdo y alimentos fritos), el azúcar blanco y los productos derivados de la harina blanca, el pan y los cítricos, y aconsejen una dieta rica en apio y arroz integral. El apio descompone el exceso de ácidos, y el arroz integral aporta grandes cantidades de vitaminas del complejo B.

CONSULTA CON UN FITOTERAPEUTA

Fitoterapeutas y herbolarios occidentales

La mayoría de los herbolarios ofrecen consejos sobre la forma de administración y las posibles indicaciones de las plantas medicinales. Los estudios de fitoterapia se pueden cursar en algunos países de Europa y América. Algunos fitoterapeutas son licenciados en medicina.

Herbolarios chinos

Los herbolarios chinos tradicionales suelen instalarse en los barrios de las ciudades occidentales y atienden, en su mayoría, a los miembros de dichas comunidades. Los herbolarios chinos «modernos» suelen utilizar las hierbas y la acupuntura conjuntamente.

Médicos ayurvédicos y unani

Generalmente conocidos como *vedas* y *hakims*, suelen vivir en las comunidades indias y paquistaníes y ofrecen un tratamiento basado en principios tradicionales.

V

HOMEOPATÍA: UNA FUERZA VITAL CONJUNTA

La homeopatía se basa en el principio «lo similar cura lo similar». En otras palabras, la enfermedad puede curarse mediante la aplicación de remedios que producen en el hombre sano síntomas semejantes a los causados por dicha enfermedad. La base de esta idea reside en la forma en que los homeópatas analizan los síntomas y su papel en la enfermedad y el buen estado de salud.

En el siglo XVI, Paracelso, famoso médico y filósofo suizo, escribió: «Las personas que se limitan a estudiar y a tratar los efectos de las enfermedades son como las que piensan que pueden acabar con el invierno barriendo la nieve de las puertas de sus casas. No es la nieve la que produce el invierno, sino el invierno el que produce la nieve.»

Con estas palabras, Paracelso expresaba uno de los principios fundamentales de la homeopatía: los síntomas no son las manifestaciones de una enfermedad, sino los esfuerzos del cuerpo para curarse.

La medicina tradicional considera los síntomas como una parte de la enfermedad, y el objetivo del tratamiento es suprimirlos para curarla. El homeópata, en cambio, intenta estimular los síntomas para acelerar el proceso de curación. Cuando el organismo es afectado por una enfermedad, como la gripe, responde a ella con la producción de síntomas, como mucosidad, lagrimeo, fatiga, fiebre, etc. Estos síntomas son los mecanismos que utiliza el cuerpo para eliminar las sustancias nocivas. La fatiga obliga a permanecer en reposo y, de esta forma, el cuerpo dedica toda su energía a combatir la enfermedad. La fiebre mata las sustancias tóxicas, quemándolas literalmente.

El cuerpo humano es un sistema muy complejo, del que todavía se desconocen muchos aspectos. Por lo tanto, ¿por qué seguimos dudando de su capacidad de autocuración? Y, si la aceptamos, ¿no debemos ayudar a nuestro organismo en su empeño? A diferencia de los remedios homeopáticos para la gripe, los antigripales químicos anulan las funciones naturales del cuerpo y suprimen los síntomas de la enfermedad. Sólo se debe intervenir de esta forma cuando el cuerpo ha perdido la capacidad de autocurarse. Además, por desgracia, los medicamentos alopáticos tienen, a veces, peligrosos efectos secundarios.

La homeopatía moderna fue fundada, hace aproximadamente doscientos años, por el médico alemán Samuel Hahnemann (1755-1843). Como médico clínico, empleaba las técnicas habituales de finales del siglo XVIII y principios del siglo XIX. Pero consideraba que sangrar a los pacientes, aplicar fuertes enemas y administrar fármacos potentes y a menudo peligrosos eran prácticas brutales y arriesgadas, que provocaban un alto índice de mortalidad en los pacientes.

Hahnemann era, además, lingüista y, como tal, tradujo diversas obras médicas. Mientras traducía un tratado del médico escocés Cullen, en el que se describía el uso de la corteza del quino para el tratamiento de la malaria, le llamó la atención la explicación de la eficacia de la quina, que, según el autor, se debía a sus propiedades astringentes. Esta explicación no convenció a Hahnemann, ya que había otros medicamentos y hierbas astringentes que no aliviaban los síntomas de la malaria. Así pues, procedió a autoadministrarse grandes dosis de quina durante varios días, al cabo de los cuales desarrolló los síntomas de la malaria. De este modo, estableció que la quina no sólo disminuía la fiebre intermitente de la malaria, sino que, en grandes dosis, hacía aparecer los síntomas en una persona sana. Es decir, se puede curar una enfermedad reproduciendo los síntomas que la provocan: «lo similar cura lo similar.»

Hahnemann estudió otras muchas sustancias, que experimentaba sobre sí mismo o sus familiares y conocidos. Mediante estos experimentos, denominados «ensayos», sentó las bases de la homeopatía moderna. Sus investigaciones lo llevaron a rechazar la medicina alopática, a la que consideraba la antítesis de un tratamiento eficaz.

La teoría de la homeopatía se extendió y continuó su desarrollo, no sin la oposición de la medicina ortodoxa. Su fama se acrecentó especialmente durante las epidemias de cólera en Europa, cuando el uso de un remedio homeopático basado en el alcanfor, propuesto por Hahnemann, salvó muchas vidas.

Cuando Hahnemann murió en 1843, la homeopatía ya se había difundido por la mayoría de los países europeos e incluso había llegado a Rusia, Sudamérica, y algunos estados de Norteamérica.

CÓMO ACTÚA LA HOMEOPATÍA

La homeopatía se basa en los tres principios siguientes: ley de la similitud, tratamiento único y dosis mínima.

- **Ley de la similitud.** El organismo humano, que tiene una gran capacidad para curarse, es estimulado para ayudar en su proceso de autorreparación, mediante un remedio homeopático que produce una sintomatología similar a la que causa la enfermedad. Por lo tanto, el tratamiento homeopático correcto se basa en hallar el remedio que produce la mayor cantidad de síntomas similares a los que presenta el paciente.

- **Tratamiento único.** Para estimular el organismo, los homeópatas creen que se debe utilizar una sola sustancia. Es el conjunto del sistema del paciente el que sufre un desequilibrio, aunque los síntomas sean múltiples y aparentemente no relacionados. El tratamiento único permite al homeópata observar y evaluar claramente sus efectos antes de considerar una nueva prescripción. Asimismo, el cuerpo asimila mejor una sola sustancia que varias a la vez, que sólo entorpecerían su proceso de autocuración.

- **Dosis mínima.** Para intensificar los síntomas sólo se requiere una cantidad ínfima del remedio específico puesto que el paciente es altamente sensible a su estímulo. El homeópata determina la potencia específica y el número de dosis de acuerdo con la respuesta de cada individuo a la enfermedad, y no según ésta.

El concepto de dilución es la principal causa del escepticismo de los médicos alopáticos. Éstos se preguntan cómo pueden ser efectivas cantidades ínfimas de principio activo. Hahnemann no sabía la repuesta y, aunque tampoco nosotros comprendemos el mecanismo de la homeopatía, sobran pruebas de su eficacia.

Una de las numerosas teorías propuestas para explicar cómo actúa la homeopatía, sostiene que la búsqueda de una explicación física va en contra de la naturaleza holística de la terapia. Es posible que las altas potencias actúen a un nivel de energía muy sutil y que estos remedios vibren o resuenen con la «fuerza vital» de una persona. El remedio homeopático idóneo es como un sutil impulso de energía que restituye el cuerpo a su nivel óptimo, ayudando así a la recuperación. Una vez que el cuerpo está en sintonía con su ritmo de resonancia propio, es capaz de utilizar su sistema inmunitario para deshacerse de los estímulos negativos que producen la enfermedad.

Sea cual fuere su mecanismo, lo cierto es que la homeopatía ha demostrado ser eficaz y su aplicación es cada vez mayor en todo el mundo.

PRINCIPIOS CURATIVOS DE HERING

El médico alemán Constantin Hering ya era un firme adepto de la homeopatía cuando emigró a EE.UU. a principios del siglo XIX. Él fue quien introdujo la homeopatía en este país y estableció tres principios para describir el proceso curativo del tratamiento homeopático.

En primer lugar, Hering señaló que el proceso de curación se lleva a cabo de adentro hacia fuera y según la profundidad de los síntomas. Más tarde describió los niveles de curación, en orden de gravedad decreciente: el cerebro, el corazón, el hígado, los huesos, los músculos y, por último, la piel. Por ejemplo, si un paciente presenta un problema cutáneo que se ha manifestado después de una enfermedad hepática, es posible que el hígado responda bien al tratamiento pero que el problema cutáneo persista mientras se eliminan las toxinas. Por otra parte, si el estado de la piel mejora cuando el verdadero problema radica en el hígado, el homeópata sabrá que no ha recetado el remedio correcto.

El segundo principio curativo de Hering afirma que los síntomas aparecen y desaparecen en orden inversamente cronológico a su aparición. Por ejemplo, una enfermedad cardíaca es el resultado final de la acumulación gradual de síntomas. A fin de curar dicha enfermedad, primero hay que tratar los factores desencadenantes, como el estilo de vida, la dieta, los hábitos laborales, etc. Los homeópatas han observado que las enfermedades de algunos pacientes constituyen rebrotes de una antigua enfermedad.

El tercer principio curativo de Hering afirma que el proceso de curación comienza en la parte superior del cuerpo y desciende en etapas. Por ejemplo, si la rigidez de un hombro desaparece y es sustituida por la rigidez de cadera, se considera un signo de recuperación.

Los homeópatas han comprobado que los principios de Hering a veces actúan a la inversa: es decir, el proceso curativo comienza en la parte inferior de cuerpo y va ascendiendo o se lleva a cabo de fuera adentro. En estos casos, la sensación general de mejoría del paciente es esencial para continuar el tratamiento.

REMEDIOS HOMEOPÁTICOS

Numerosas sustancias son eficaces para el tratamiento homeopático, que no sólo utiliza plantas sino
también minerales, compuestos químicos y extractos
bacterianos. Puesto que el objetivo es intensificar los
síntomas de una enfermedad, no es sorprendente que
incluso se utilicen tóxicos, como el arsénico, el mercurio, el veneno de serpiente y la *belladona*. Actualmente
se emplean más 2.500 sustancias para la elaboración de
remedios homeopáticos.

Para preparar los medicamentos, se somete la materia prima a un proceso de sucesivas diluciones y *dina-
mizaciones* (agitaciones vigorosas). Cada etapa de dina-
mización aumenta la potencia, o fuerza, que se clasifica
con una cifra y una letra. Las potencias clasificadas con
una X están diluidas en una proporción 1:9, y las mar-
cadas con una C en 1:99. Las sustancias derivadas de
plantas se disuelven instantáneamente, pero los minerales y metales deben someterse antes a otro proceso denominado *triturado* (molido) y mezclarse con un polvo
de leche y azúcar, a partes iguales, hasta alcanzar la potencia 3X y convertirse en solubles. A partir de ese punto, son sometidos al mismo proceso de dilución y dina-
mización que las plantas.

En la actualidad es posible adquirir remedios homeopáticos en muchos establecimientos, como tiendas
de dietética y farmacias. Los medicamentos de venta sin
receta médica suelen tener una potencia más baja, de
6C hasta 30C; no obstante, cuando se repite una dosis
de 30C se debe actuar con precaución, ya que se trata
de una potencia relativamente alta. También existen
cremas, pomadas y lociones para aplicación externa.

CONSULTA CON UN HOMEÓPATA

Un homeópata puede ser un médico que ha cursado la especialidad en las escuelas de homeopatía, en cuyo caso es posible que efectúe un reconocimiento médico minucioso y las pruebas clínicas habituales (p. ej., medición de la presión arterial, etc.), pero también es posible que sólo ejerza la homeopatía. En la primera consulta, el homeópata formulará al paciente muchas preguntas sobre su problema de salud actual y sobre su estilo de vida, pues necesita conocer con detalle los síntomas para poder recetar el remedio correcto: si es una persona activa o sedentaria, la calidad y duración de su sueño, si suele sentir frío, y cuáles son sus hábitos alimentarios. El propósito de estas preguntas es establecer el estado emocional, psicológico y espiritual del paciente. La homeopatía es una terapia holística, cuyo objetivo no es tratar una parte determinada del cuerpo, sino todos los aspectos de un individuo.

LA HOMEOPATÍA PARA ALIVIAR EL DOLOR DE LA ARTRITIS Y EL REUMATISMO

En 1980 se realizó un ensayo por doble ciego (*Homoeopathic Therapy in Rheumatoid Arthritis: Evaluation by Double-Blind Trial*, R. G. Gibson, S. L. M. Gibson, A. D. MacNiel, et al.) para investigar la eficacia de los remedios homeopáticos en pacientes con artritis reumatoide. A todos los enfermos se les administró un remedio homeopático, pero sólo la mitad de ellos recibieron realmente un remedio, ya que la otra mitad fue tratada con un placebo (un preparado farmacéutico que sólo contiene productos inactivos). El 82 % de los pacientes tratados con remedios homeopáticos experimentó una mejoría, mientras que sólo el 21 % de los que recibieron placebo refirieron una mejoría similar.

Este estudio demuestra dos hechos importantes. En primer lugar, la homeopatía alivia la artritis, y en segundo lugar la forma individualizada de tratamiento constituye una de las claves del éxito. No existe un remedio específico para la artritis o el reumatismo, ya que la homeopatía se basa en la prescripción individual, y las enfermedades crónicas deben ser tratadas bajo la supervisión de un homeópata cualificado.

En caso de que la artritis o el reumatismo sean hereditarios, es particularmente importante tomar medidas preventivas. Si una persona goza de buen estado de salud, es preferible prevenir que curar.

El estrés constituye uno de los principales desencadenantes de la artritis, ya que, para combatirlo, el organismo utiliza el calcio de los huesos. Si esto ocurre con frecuencia, las reservas de calcio del cuerpo se agotan hasta el punto de debilitar los huesos. Si los niveles de calcio en la sangre se mantienen elevados y no se toman medidas para reducirlo, se forman depósitos de calcio en los músculos y/o las articulaciones.

Asimismo, el exceso de ácido úrico hace que éste se acumule en las articulaciones y/o los músculos. En este caso se prescribe una dieta baja en alimentos que producen ácido úrico. Los remedios homeopáticos pueden acelerar la eliminación del exceso de ácidos y restablecer el equilibrio del organismo.

ENTREVISTA CON UN MÉDICO HOMEÓPATA

P. ¿Cuánto dura el tratamiento?

R. Es difícil responder a esa pregunta, pero, al cabo de varias visitas, el homeópata seguramente le proporcionará una respuesta aproximada. La capacidad del organismo para responder al tratamiento es influida por distintos factores, como la naturaleza, la gravedad y la duración de la enfermedad. Hay que recordar que la artritis y el reumatismo son enfermedades crónicas, que tardan mucho tiempo en evolucionar. Por lo tanto, no sería realista esperar una curación rápida.

P. ¿Cuántas consultas son necesarias?

R. Durante los primeros seis meses, las consultas suelen ser más frecuentes, pero, a medida que la salud se recupera, van disminuyendo. Creemos que es necesario un seguimiento inicial más frecuente (al principio, los controles suelen realizarse cada cuatro o seis semanas) para poder trabajar con usted y evaluar sus progresos. No obstante, somos conscientes del coste del tratamiento y no deseamos que represente una carga.

Si el remedio ha restablecido el equilibrio del sistema, este estado puede mantenerse durante largo tiempo. También es necesario esperar a que se manifieste el siguiente «cuadro de síntomas». En ese momento hay que tener fe en la capacidad de curación de su cuerpo.

P. ¿Cómo puedo colaborar en el tratamiento?

R. No es necesario «creer» en la homeopatía para que los remedios homeopáticos funcionen (tratamos a bebés y hay incluso veterinarios homeópatas). No obstante, para elegir el remedio adecuado y para que éste surta efecto, son imprescindibles su compromiso y su cooperación.

Puede participar en las siguientes maneras

- Anote cualquier cambio que observe a partir del momento en que empieza a tomar el remedio. Puede ser útil llevar un registro semanal, en el que apunte tanto los cambios generales como los específicos, y traerlo a las visitas de seguimiento.

- Proporcione una descripción clara y completa de todos los síntomas.

- Y, sobre todo, comunique cualquier preocupación o duda que tenga. Nuestro interés es encontrar la mejor manera de ayudarlo, y sus aportaciones siempre serán bien recibidas.

P. ¿Dónde puedo adquirir los remedios?

R. El homeópata puede prepararlos en su propia consulta e incluir su coste en sus honorarios o bien indicarle una farmacia donde expendan compuestos homeopáticos.

Aunque existen más de dos mil remedios que se preparan en laboratorios homeopáticos reconocidos, la mayoría de las medicaciones se elaboran a partir de un grupo más reducido, compuesto por unos dos o tres centenares de remedios.

P. ¿Es el tratamiento homeopático compatible con otras terapias, como la acupuntura y la quiropráctica?

R. De acuerdo con el principio del tratamiento único, aconsejamos a nuestros pacientes que no se sometan a otras terapias durante el tratamiento homeopático, porque necesitamos establecer la eficacia de los remedios que prescribimos. Por ejemplo, si un paciente recibe acupuntura durante el tratamiento homeopático, el *homeópata no podrá saber si los cambios en su estado se deben a su remedio o a la acupuntura.* Un *acupuntor también preferirá que sus pacientes no se sometan a otras terapias al mismo tiempo. Los aceites esenciales también pueden alterar el tratamiento homeopático, por lo que es preferible evitarlos.*

P. ¿**Puede** prescribirse **un remedio incorrecto y, en tal caso, cuál sería su efecto?**

R. *Por mucho cuidado que pongamos en la elección del remedio adecuado, no siempre logramos acertar plenamente. No obstante, si se utilizan correctamente, los tratamientos homeopáticos no deben producir efectos secundarios: o bien no se produce cambio alguno, o bien los síntomas se manifiestan con mayor claridad y, por tanto, es más fácil elegir el remedio apropiado.*

A veces, el homeópata debe mantener varias entrevistas con el paciente para obtener un cuadro exhaustivo de sus síntomas y un conocimiento en profundidad para elegir el remedio correcto. Por supuesto, cuanto mejor se conoce el paciente a sí mismo, más fácil resulta esta tarea.

P. ¿**Puedo acudir a mi médico de cabecera?**

R. *La homeopatía constituye un tratamiento complementario de la medicina tradicional. Los homeópatas recomendamos a nuestros pacientes que no interrumpan la relación con su médico habitual, que puede seguir realizando las revisiones regulares y atendiendo las urgencias. También llevará a cabo, si son necesarios, los análisis de sangre, las radiografías, etc., y la derivación a un especialista.*

CÓMO ENCONTRAR UN HOMEÓPATA

Cada vez es mayor el número de médicos cualificados que ofrecen tratamientos homeopáticos. La mayoría de ellos son licenciados en medicina y cursan posteriormente la especialidad en las escuelas de homeopatía. La duración de estos estudios de posgrado en la mayoría de las escuelas acreditadas de Europa es de unos cuatro años. En estas escuelas se les extiende un título que acredita su formación y les permite el acceso a las asociaciones de médicos homeópatas legalizadas.

VI

MEDICINA ANTROPOSÓFICA: LA DISTRIBUCIÓN DEL CALOR CORPORAL

La medicina convencional se basa en la hipótesis y la experimentación. Si un hecho no puede demostrarse mediante una prueba, para la ciencia no existe. Esta premisa puede conducir a una simplificación excesiva, si se aplica sólo al aspecto físico de la existencia. De hecho, dicha simplificación constituye uno de los principios fundamentales de la medicina tradicional (basada en las ciencias naturales) y se denomina *reduccionismo*. Todos los aspectos de nuestra existencia —lo físico, las manifestaciones de organismos vivos, los aspectos emocionales, psicológicos y espirituales— están reducidos a meras expresiones del aspecto físico.

En la medicina antroposófica, se aplican los métodos y la disciplina de las ciencias (naturales) a los aspectos no físicos de la realidad. A la antroposofía también se le denomina ciencia espiritual, ya que reconoce los demás niveles de nuestra existencia y estudia sus interacciones. De este modo, amplía las posibilidades de tratar la enfermedad.

La antroposofía fue impulsada por el filósofo austriaco Rudolf Steiner (1861-1925), quien expuso los fundamentos filosóficos de sus ideas en la obra *The Philosophy of Freedom*. En ésta y otras obras, Steiner afirma que el ser humano no sólo se compone de cuerpo, sino también de alma y espíritu. Según él, en las personas se distinguen cuatro aspectos, de cuyo equilibrio dependen la salud y el bienestar.

Steiner plasmó sus ideas, en colaboración con el médico holandés Ita Wegan, en el libro *The Fundamentals of Therapy*, en el cual se sientan las bases de la medicina antroposófica.

LOS CUATRO ASPECTOS DE LA PERSONA

Además del cuerpo físico, hay que considerar otros tres elementos para comprender al ser humano en su totalidad. En la terminología antroposófica, dichos elementos se denominan *cuerpo etéreo* (o vital), *cuerpo astral* (o del alma) y *ego* (o espíritu). Estos elementos son inmateriales y no pueden ser percibidos por los sentidos físicos. Esencialmente, el cuerpo etéreo es el responsable del crecimiento, el desarrollo y la reparación; el cuerpo astral representa los sentimientos y las emociones, y el ego encarna el aspecto espiritual, que sólo posee el hombre.

Cuerpo etéreo

Es la fuerza que rige la existencia del cuerpo físico, al que infunde vida, luchando contra su deterioro y descomposición, lo que ocurre naturalmente tras la muerte cuando sólo rigen las leyes físicas. El cuerpo etéreo es el responsable de la armonía entre los componentes físicos del organismo y de mantener su integridad mediante los procesos continuos de reparación y conservación. Constituye la fuente de la tendencia natural a la salud y ayuda al cuerpo físico a reponerse de las dolencias poco importantes, sin necesidad de intervención médica. En resumen, el cuerpo etéreo lucha continuamente contra la muerte y el deterioro del cuerpo físico (leyes físicas).

ELEMENTOS ANTROPOSÓFICOS DE LA PERSONA

Espíritu	Autoconciencia	Humano	Ego
Alma	Conciencia	Animal	Cuerpo astral
Vida	Vida	Vegetal	Cuerpo etéreo
Materia	Puede ser pesada y medida	Mineral	Cuerpo físico

Cuerpo astral

El cuerpo astral es el elemento del alma, que diferencia a los seres humanos y a los animales de los vegetales y minerales. Tanto los humanos como los animales tienen conciencia del mundo físico e instinto.

A través de nuestro cuerpo astral tenemos conciencia de las emociones, los sentimientos y los pensamientos, y aunque no es posible medirlo de forma tangible, constituye un aspecto muy real. Los médicos convencionales creen que este aspecto de nuestra existencia es una mera manifestación de los procesos físicos y químicos, mientras que para los médicos antroposóficos el cuerpo astral es tan real como el cuerpo físico.

En términos generales, el cuerpo astral ejerce un intenso efecto *catabólico* (de descomposición) sobre el cuerpo físico, opuesto al efecto del cuerpo etéreo, que lucha continuamente por construir y reparar. Así, la salud prevalece siempre que los procesos destructivos (catabólicos), impulsados por el cuerpo astral, son compensados por la fuerza constructiva (anabólica) del cuerpo etéreo. La enfermedad es el resultado del desequilibrio entre ambas fuerzas.

Ego

Los seres humanos están dotados de un nivel de conciencia adicional del que carecen los animales, a saber, la capacidad de pensar. Asimismo, saben que son seres conscientes e independientes. Por lo tanto, los seres humanos son capaces de frenar su instinto mediante el razonamiento. La capacidad humana para aprender, desarrollarse y convertirse en un ser independiente y solitario se debe al ego, que constituye la dimensión espiritual del hombre. Esta dimensión tiene una influencia dual sobre el cuerpo físico: por un lado, ayuda al cuerpo etéreo en su actividad anabólica y, por otro, al cuerpo astral en su actividad catabólica. No obstante, el ego siempre protege todos los procesos corporales y, generalmente, actúa mediante la regulación del calor corporal.

LA ENFERMEDAD DESDE EL PUNTO DE VISTA ANTROPOSÓFICO

La medicina antroposófica trata la enfermedad desde el punto de vista de las interacciones entre el ego y los cuerpos astral, etéreo y físico. Estos cuatro aspectos del ser humano están estrechamente relacionados e interconectados en las distintas partes del cuerpo y en los órganos.

En la medicina antroposófica, los tres principales sistemas de órganos funcionales se denominan sistema neurosensorial, sistema metabólico motor y sistema rítmico.

El sistema neurosensorial comprende el sistema nervioso central (el cerebro, la médula espinal y los órganos de los sentidos) y el sistema nervioso autónomo (que se halla conectado a todos los órganos internos).

Este sistema de órganos carece de vitalidad, regeneración y movimiento. Asimismo, es muy vulnerable y se daña fácilmente si es privado de oxígeno y otras sustancias nutritivas. La actividad generadora de vida del cuerpo etéreo es mínima en este sistema, en el que predomina la acción catabólica del cuerpo astral, responsable de la conciencia, los pensamientos y las percepciones.

Al sistema metabólico motor, que representa la actividad vital, pertenecen los órganos digestivos (estómago, hígado, páncreas), el sistema linfático y los órganos reproductores. Los músculos de las extremidades necesitan una mayor cantidad de sustancias nutritivas, ya que constituyen las partes más vitales y activas del cuerpo.

Este sistema es inconsciente: sólo tenemos conciencia de nuestros procesos anabólicos cuando se produce una anomalía, en cuyo caso sentimos dolor. El dolor, que no es más que un estado de mayor conciencia, se experimenta a través del cuerpo astral. Éste también actúa sobre el sistema metabólico motor, pero no de forma catabólica, sino favoreciendo la actividad anabólica del cuerpo etéreo. En el sistema neurosensorial, por el contrario, la actividad catabólica se impone sobre la anabólica.

La lucha entre los procesos catabólicos y anabólicos de estos dos sistemas de órganos es regulada por un tercer sistema de órganos funcionales, a saber, el sistema rítmico.

LOS TRES SISTEMAS DE
LA MEDICINA ANTROPOSÓFICA

Neurosensorial	Pensamiento	Consciente	Enfriamiento
			Catabolismo
			Esclerosis
Rítmico	Sentimiento	Onírico	Equilibrio
			Mediación
Metabólico	Voluntad	Inconsciente	Calentamiento
o motor			Anabolismo
			Suavizador

El sistema rítmico del organismo se manifiesta con claridad en la actividad rítmica del corazón, la circulación y la respiración: la *sístole* (contracción) y la *diástole* (dilatación), la inhalación y la exhalación, ilustran los constantes cambios que se producen en el equilibrio del sistema rítmico. Éste incorpora y equilibra la función eminentemente catabólica del sistema neurosensorial (contracción, mayor conciencia) y la actividad fundamentalmente anabólica del sistema metabólico motor (relajación, regeneración).

Esta interpretación tan dinámica y artística de las funciones del cuerpo humano permite al terapeuta relacionar los aspectos anatómicos y fisiológicos con los aspectos psicológicos y espirituales del ser humano. La enfermedad se produce como consecuencia de un desequilibrio entre los sistemas mencionados. Dicha interpretación también permite al terapeuta ampliar su campo de acción con respecto al diagnóstico y al tratamiento, para lo cual, puede servirse de diferentes métodos.

MEDICAMENTOS

Cuando es apropiado y/o necesario, se utilizan los medicamentos tradicionales. No obstante, los medicamentos desarrollados por la medicina antroposófica derivan de las plantas, los minerales y, a veces, los animales. La elección de una sustancia u otra se basa en la relación percibida entre los procesos vitales del cuerpo humano y la naturaleza. Steiner explicó detalladamente la relación entre determinadas sustancias y los procesos corporales y órganos. Por ejemplo, describió que los siete metales (plomo, latón, hierro, cobre, mercurio, plata y oro) corresponden a los órganos y a los sistemas de órganos. Así, es posible que un médico antroposófico prescriba un preparado de latón de una potencia determinada en forma de gotas o de pomada, para un paciente con problemas hepáticos, o un preparado de cobre para regular la función renal. Las sustancias derivadas de plantas pueden administrarse en su forma natural o en preparados de distintas potencias.

TERAPIAS ARTÍSTICAS

Las terapias artísticas estimulan las fuentes creativas del ser humano. Su objetivo no es la creación de una obra de arte en sí, sino estimular la creatividad potencial. Asimismo, las terapias artísticas influyen sobre las funciones corporales de muchas formas distintas y, a veces, sutiles. La pintura utilizando sólo tonos azules actúa como un calmante para la respiración y la circulación. Pueden recomendarse terapias artísticas como la música, la pintura, el dibujo y la escultura, formando parte de un tratamiento global, para tratar problemas de índole fisiológica o psicológica.

TERAPIA EURRÍTMICA

Esta terapia se desarrolló a partir del concepto de *eurritmia* de Steiner, quien también la denominaba «habla visible» o «música visible». Constituye el arte del movimiento (danza), a través del cual se puede ver, desde una perspectiva artística, las fuerzas formativas y creativas del mundo. Los terapeutas utilizan gestos específicos que expresan, entre otras cosas, determinadas voces o consonantes en una secuencia específica. A través de estos movimientos, que producen cambios en la respiración, la circulación y la distribución de la tensión muscular, se crea un estado de ánimo. Estos ejercicios se utilizan en el tratamiento de enfermedades tanto físicas como psicológicas.

HIDROTERAPIA Y MASAJE

Estos tratamientos se dirigen sobre todo al cuerpo físico. Se ha desarrollado una forma especial de masaje rítmico que, comparado con otros métodos de masaje, es más suave. El masajista identifica las zonas de tensión muscular, la distribución y la penetración del calor, el tono de la piel y los tejidos blandos subcutáneos. En particular debe prestar atención a cualquier irregularidad en la distribución del calor, ya que se considera que el calor constituye el medio físico mediante el cual actúa el ego. A fin de aliviar la tensión, redistribuir el calor y lograr una mejoría general, se utilizan los baños con aceites esenciales. Éstos, se emplean, asimismo, durante los masajes. Estos tratamientos fortalecen sobre todo el sistema rítmico; la respiración se vuelve más relajada y profunda y se produce un flujo de calor más sano, que alivia el exceso de tensión.

TRATAMIENTO DEL REUMATISMO Y DE LA ARTRITIS

El reumatismo y la artritis son enfermedades degenerativas y deformantes, que se caracterizan por el deterioro progresivo de las superficies óseas y la inflamación activa de las articulaciones. En términos generales, la inflamación y la fiebre se consideran una parte de la respuesta de un organismo sano a la invasión de bacterias u otros microorganismos y a procesos degenerativos internos (p. ej., el cáncer). En caso de inflamación y fiebre, la actividad del ego influye sobre la actividad astral, intensificando su función anabólica. Las enfermedades febriles siguen un curso específico y suelen autolimitarse. El sistema inmunitario se fortalece cada vez que combate con éxito una invasión de sustancias extrañas. Cuando existe una debilidad anabólica (etérea) subyacente y empieza a dominar la actividad catabólica (destructiva) del cuerpo astral, se producen problemas inflamatorios localizados de carácter destructivo; la organización del calor pierde fuerza y, por lo tanto, éste no puede intervenir. En el caso de las enfermedades degenerativas de las articulaciones, este problema se caracteriza por una rigidez y una deformidad progresivas. Por consiguiente, el principal objetivo de la terapia ha de ser el fortalecimiento de la distribución del calor y de la actividad etérea (anabólica). En la fase activa (inflamatoria) de una enfermedad articular se debe supervisar atentamente cualquier tratamiento, debido al riesgo de que se agrave. En este caso, el tratamiento antroposófico consistiría en la prescripción de medicamentos, reposo y medidas dietéticas. Durante la fase más inactiva de la enfermedad, pueden introducirse tratamientos más estimulantes. La distribución del calor se equilibra mediante baños pirogénicos y/o sulfurosos. Los baños pirogénicos aumentan paulatinamente la temperatura corporal e «imponen» una mejor distribución del calor al cuerpo, que aprende a mantenerla después de repetidos tratamientos.

Por lo general, se añaden la terapia eurrítmica y la pintura en alguna fase del tratamiento.

CÓMO ENCONTRAR UN MÉDICO ANTROPOSÓFICO

Todos los médicos antroposóficos son médicos cualificados que han realizado estudios de posgrado, reconocidos por las asociaciones médicas de antroposofía de los países donde es posible cursar dichos estudios. En Inglaterra estos profesionales trabajan dentro del sistema público de salud, aunque por lo general lo hacen en consultas y clínicas privadas.

La consulta con un médico antroposófico es muy parecida a la de un médico de cabecera; no obstante, es posible que formule más preguntas y solicite más detalles sobre, por ejemplo, el estilo de vida y el estado emocional del paciente. El diagnóstico se establece según los mismos procedimientos de la medicina tradicional y el tratamiento se prescribe de acuerdo con las características individuales del paciente.

El tratamiento puede consistir en un medicamento convencional, antroposófico, herbal u homeopático. Asimismo, es posible que el médico antroposófico prescriba la eurritmia, masajes, hidroterapia o una de las terapias artísticas para complementar el tratamiento.

VII

ACUPUNTURA, DIGITOPUNTURA Y REFLEXOTERAPIA: LOS PUNTOS POTENTES

Estas tres terapias se basan en la filosofía china, que sostiene que toda sustancia viva es activada por una fuerza vital o energía denominada *chi*. Esta energía fluye en el cuerpo humano por canales denominados *meridianos*. En tanto estos canales de energía estén abiertos y no presenten obstrucciones, el *chi* circulará libremente y se mantendrá un estado óptimo de salud.

El libre flujo del *chi* se altera cuando los dos componentes opuestos, pero complementarios, el *yin* y el *yang*, se encuentran desequilibrados. El *yin*, el aspecto femenino, se caracteriza por la oscuridad, la inactividad, la humedad y el frío, mientras que el *yang*, el aspecto masculino, representa la luz, el movimiento, la sequedad y el calor. La armonía existe sólo cuando el *yin* y el *yang* se encuentran en equilibrio perfecto.

El objetivo primordial del tratamiento es restablecer el equilibrio entre el *yin* y el *yang*. Y, en consecuencia, el libre flujo del *chi*. Uno de los métodos más conocidos para lograr dicho equilibrio es la acupuntura, que consiste en acceder a los canales de energía mediante la inserción de agujas muy finas en la piel, para estimular puntos específicos. Otro método consiste en estimular los puntos mediante la presión de los dedos y el masaje. Esta segunda técnica se denomina digitopuntura o acupresión. Por último, es posible estimular puntos específicos en los pies mediante la presión de los dedos, técnica que recibe el nombre de reflejoterapia.

Antiguamente se utilizaban 365 puntos en el tratamiento mediante acupuntura y digitopuntura, pero en la actualidad se emplean alrededor de mil, localizados en doce meridianos. Diez de dichos meridianos toman su nombre del órgano al que corresponden, a saber, el intestino grueso, el estómago, el corazón, el bazo, el intestino delgado, la vejiga, el riñón, la vesícula, el pulmón y el hígado.

ACUPUNTURA

Actualmente, la acupuntura goza de gran popularidad en los países occidentales, y las técnicas de la acupuntura moderna occidental se utilizan de forma habitual para el tratamiento del dolor.

¿Cómo actúa la acupuntura?

Los escépticos atribuyen la eficacia de la acupuntura al efecto placebo: la estimulación de los mecanismos

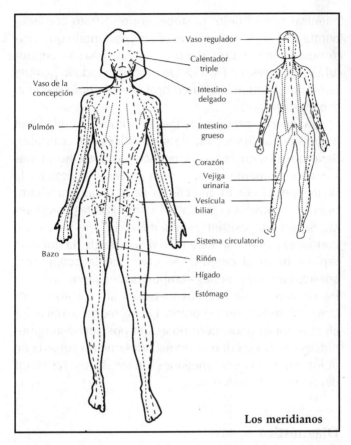

Vaso regulador

Calentador triple

Vaso de la concepción

Intestino delgado

Pulmón

Intestino grueso

Corazón

Vejiga urinaria

Vesícula biliar

Sistema circulatorio

Bazo

Riñón

Hígado

Estómago

Los meridianos

curativos del cuerpo mediante la sugestión. Sin embargo, esta teoría se ve desbaratada cada vez que un «incrédulo» comprueba que ayuda a restablecer la salud.

El interés por la acupuntura en Occidente se intensificó durante los años cuarenta a raíz de la experiencia de un popular periodista estadounidense, James Reston, quien durante una visita a Pekín, tuvo que ser operado con urgencia a causa de una apendicitis. La intervención se llevó a cabo con éxito, bajo anestesia local, mientras que el dolor postoperatorio se trató con acupuntura. El periodista quedó tan impresionado que visitó numerosos centros donde se practicaba la acupuntura y, al regresar a Estados Unidos, hizo todo lo posible por atraer la atención, tanto profesional como pública, sobre esta terapia.

Una teoría sostiene que la acupuntura estimula en el organismo la liberación de sus analgésicos naturales, denominados *endorfinas* y *encefalinas*. Estas hormonas son especialmente eficaces para prevenir y combatir la depresión. El efecto analgésico de la acupuntura también se atribuye a la teoría del *control de las compuertas*. Según ésta, existen compuertas en las vías nerviosas, *conductos* que conducen el dolor desde la médula espinal hasta el cerebro. Se cree que la acupuntura anestésica cierra dichas compuertas, evitando así, que los nervios transmitan sus mensajes al cerebro y, por tanto, la sensación de dolor. Dicha teoría explica los efectos anestésicos, pero no aclara por qué la acupuntura es capaz de curar enfermedades que no cursan con dolor, como las enfermedades cutáneas, los trastornos del sueño, la hipertensión, etc.

Diagnóstico

Para establecer un diagnóstico, el acupuntor efectúa una historia médica exhaustiva y examina determinadas características físicas del paciente, como la piel, el pelo, la lengua y los ojos. Otros factores, como el olor corporal, los gestos personales y el tono de voz, también ayudan al acupuntor a efectuar un diagnóstico. Sin embargo, los métodos de los médicos acupuntores varían, y algunos someten a los pacientes a un reconocimiento médico o a pruebas médicas, que forman parte de la medicina tradicional china.

El diagnóstico a través del pulso, una técnica ya en declive entre los acupuntores modernos, es extremadamente difícil y complejo y requiere años de práctica para dominarlo. El acupuntor coloca los dedos índice, corazón y anular de su mano derecha sobre la mano izquierda del paciente, y toma el pulso en los seis meridianos localizados en la muñeca. A continuación, con la mano izquierda toma el pulso de la mano derecha del paciente. Se reconocen 28 cualidades de los pulsos, entre las que se incluyen estrechez, rapidez, delgadez, debilidad, finura y lentitud. Esta técnica permite al acupuntor formarse una idea de la gravedad de la enfermedad y establecer un tratamiento. El diagnóstico a través del pulso constituye uno de los métodos principales para determinar el estado del flujo de la energía del cuerpo.

Una vez establecido el diagnóstico, el acupuntor, basándose en la función que se atribuye a cada uno de los puntos de acupuntura, decide sobre cuáles de ellos debe actuar para restablecer el equilibrio en la configuración energética del paciente.

Uso de las agujas

La primera reacción a las agujas suele ser de rechazo o de miedo debido a la idea de que su introducción causará dolor. Sin embargo, cuando la inserción es realizada por un acupuntor cualificado, se percibe una sensación parecida a la producida por un alfiler, seguida por un hormigueo. Cuando se efectúa correctamente, no sale sangre.

Las agujas, extremadamente finas, se introducen de forma oblicua, vertical o casi horizontal, y apenas penetran unos milímetros en la piel. En ocasiones es necesario introducir las agujas a mayor profundidad, pero en estos casos tampoco resulta doloroso. Las agujas se dejan colocadas durante un tiempo variable, entre unos minutos y tres cuartos de hora, mientras el acupuntor las manipula, girándolas para estimular el meridiano elegido.

En algunos tratamientos se utiliza una técnica conocida como *moxibustión*, que consiste en colocar una bola de hojas de artemisa secas o de ajenjo en la parte superior de la aguja, que se va quemando lentamente. El suave calor generado en la combustión se transmite hacia abajo a lo largo de la aguja y aumenta la eficacia de la estimulación.

También se usan instrumentos electrónicos para detectar los puntos que es necesario estimular, ya que éstos se caracterizan por una baja resistencia eléctrica, que permite su localización.

Una técnica moderna de acupuntura consiste en utilizar un dispositivo para aplicar una corriente eléctrica que se transmite a la piel a través de la aguja.

Auriculopuntura

La auriculopuntura o auriculoterapia se basa en el concepto de que la oreja se asemeja a la posición del feto humano en la matriz, en posición invertida. Así, se ha establecido una correlación entre los puntos auriculares y el resto del cuerpo. Muchos tratamientos de acupuntura incluyen la estimulación de los puntos cardinales, además de los del cuerpo. Por lo general, el tratamiento se lleva a cabo con la ayuda de un aparato electrónico que detecta y estimula los puntos, aunque también puede hacerse por medio de agujas.

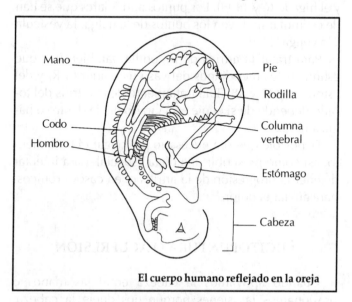

Mano

Pie

Rodilla

Codo

Columna
vertebral

Hombro

Estómago

Cabeza

El cuerpo humano reflejado en la oreja

El número de agujas utilizadas puede variar. Por lo general, cuanto mayor es la destreza del acupuntor, menos agujas utiliza. Asimismo, el número de agujas utilizado dependerá del tipo de tratamiento.

Cuando se extraen las agujas, el paciente experimenta una sensación de relajación general.

Tratamiento del reumatismo y de la artritis con la acupuntura

El indiscutible efecto anestésico de la acupuntura explica su popularidad entre las personas que padecen artritis o reumatismo. Por extraño que parezca, el tratamiento para la artritis de cadera se centraría en los meridianos que corresponden a la vesícula (34, 30 y 29 VB) y el hígado (6 y 11 H). Los puntos auriculares que se han de estimular incluyen los puntos de la nalga, la vesícula y la vejiga (11 V).

Para tratar la artritis de la rodilla, también hay que estimular los meridianos del vaso regulador (3 R) y del estómago (37 y 38 E). El tratamiento de la artritis del tobillo depende de si el pie está girado hacia dentro o hacia afuera.

Es posible que sea necesario prolongar el tratamiento, así como prescribir una dieta especial, para intentar detener la progresión de la artritis o, en casos crónicos, para aliviar el dolor.

DIGITOPUNTURA O ACUPRESIÓN

Cuando apoyamos la cabeza entre las manos o presionamos las sienes porque nos duele la cabeza, instintivamente estamos practicando el antiguo arte chino de la digitopuntura. Hace más de 5.000 años, los chinos descubrieron que la presión sobre determinados puntos del cuerpo producía un alivio del dolor. En Japón, esta terapia se denomina *Shiatsu*.

La presión sobre determinados puntos del cuerpo favorece el riego sanguíneo, lo que disipa la tensión muscular y nerviosa y estimula los propios poderes de curación del cuerpo.

Los puntos son los mismos que en la acupuntura. Mientras que esta última técnica ha sido objeto de exhaustivas investigaciones científicas, la digitopuntura, la más antigua de ambas terapias, sigue siendo relativamente desconocida. No obstante, está cobrando popularidad como autoterapia, ya que no se requiere instrumental alguno (sólo los dedos) y puede practicarse en cualquier lugar.

Cómo actúa la digitopuntura

La tensión y el estrés suelen concentrarse alrededor de lo que los chinos denominan *puntos potentes,* confluencias o canales especiales por los que fluye la energía *chi.* Si estos puntos se mantienen abiertos, el *chi* fluye libremente: las fibras musculares se distienden, mejora el riego sanguíneo y se estimula el sistema linfático. Todos estos factores benefician al sistema inmunitario y, por tanto, fortalecen las defensas del cuerpo contra las enfermedades.

Asimismo, la estimulación de los puntos induce la secreción de endorfinas, que no sólo inhiben la sensación de dolor, sino que también aumentan el aporte de oxígeno a los músculos y, por tanto, favorecen su relajación.

Hay tres tipos de puntos potentes:

- *Punto local:* es un punto que se encuentra en la misma zona que el dolor o la tensión. Al estimular este punto, se produce una sensación de alivio.
- *Punto activador:* la estimulación de este punto puede aliviar el dolor en una zona situada a distancia. El efecto de este mecanismo activador se atribuye a la transmisión del estímulo a través de los meridianos.
- *Puntos tónicos:* son puntos específicos del cuerpo que tienen relación con el mantenimiento de la salud en general. Uno de los puntos tónicos más populares se localiza entre el pulgar y el dedo índice.

Al igual que ocurre con los meridianos, el nombre de los puntos potentes da una idea de su uso. Por ejemplo, el punto denominado «esquina del hombro» corresponde al hombro; se sostiene que el punto «de las tres millas» proporciona la energía suficiente para que una persona corra tres millas; el punto denominado «transportar para ofrecer al pulmón» ayuda a curar las enfermedades pulmonares. Asimismo, a cada punto se le ha asignado un número, según una clasificación universalmente utilizada por acupuntores y digitopuntores.

Práctica de la digitopuntura

Existen cuatro métodos de digitopuntura: la presión firme, la presión lenta, el masaje vigoroso y el golpeteo ligero. Para tonificar y mejorar la circulación en general, sólo se presiona el punto elegido durante unos segundos. No obstante, si el paciente experimenta dolor o malestar, se mantiene la presión durante varios minutos. El masaje de los músculos, haciendo un movimiento como si se amasara pan, contribuye a distenderlos y a proporcionarles flexibilidad. El masaje vigoroso, con movimientos de frotamiento, no sólo estimula la circulación, sino que alivia el enfriamiento y el entumecimiento de la zona afectada. En las zonas sensibles, como la cara, un ligero golpeteo con los dedos bastará para mejorar la circulación y el funcionamiento de los nervios.

Para obtener resultados óptimos, la digitopuntura debe practicarse diariamente, durante un máximo de una hora. Dos o tres sesiones semanales también pueden ser beneficiosas para el paciente.

Puntos potentes para el tratamiento de la artritis y del reumatismo

- El punto denominado «fondo del valle» (4 IG), situado entre el pulgar y el dedo índice, alivia el dolor artrítico de las manos, los hombros, el cuello y los codos. Coloque la mano derecha sobre la izquierda y presione la membrana que une el pulgar y el índice hacia el metacarpiano de la base del dedo índice. La presión debe mantenerse durante un minuto. Después, se repite el proceso con la mano derecha. (*Advertencia: las mujeres embarazadas no deben utilizar este punto, pues puede provocar una contracción prematura del útero.*)

- El punto denominado «triple recalentador» (5 TR) se localiza en la cara externa del antebrazo, a $2^1/_2$ traveses de dedo de la base de la muñeca. Con los nudillos, presiónelo firmemente durante unos minutos. Repita luego el proceso con el otro antebrazo.

- El punto «de las tres millas» (36 E) se localiza a 4 traveses de dedo por debajo de la rodilla y a 1 cm de la tibia. Para localizar el músculo, mueva el pie de arriba abajo. Aplique presión con el puño, de arriba abajo, sobre ambas piernas durante alrededor de un minuto. Este proceso beneficia todo el cuerpo.

- Los puntos denominados «columnas celestiales» (20 VB) se localizan debajo de la base del cráneo, en las dos depresiones que forman ambos músculos verticales del cuello. Presione estos puntos durante un minuto con los pulgares y eche lentamente la cabeza hacia atrás, manteniendo la presión. A continuación, reduzca la presión y lleve lentamente la cabeza hacia delante. Estos puntos potentes no sólo alivian el dolor artrítico del cuello y los hombros, sino que también relajan el cuerpo en general y alivian la tensión y las jaquecas.

Existen muchos otros puntos potentes que pueden ser beneficiosos para las personas que padecen artritis o reumatismo. Para aprender las técnicas de autoayuda, es aconsejable acudir a un terapeuta cualificado.

Masaje de digitopuntura

Existen varias técnicas de masaje y cada terapeuta puede trabajar de manera distinta. Los acupuntores suelen utilizar el pulgar o la punta de los dedos para efectuar un masaje firme sobre la zona afectada, aunque algunos utilizan las palmas, los codos e incluso, las rodillas.

Por lo general, las sesiones duran entre treinta y sesenta minutos. Según el estado del paciente, puede ser necesario prolongar el tratamiento durante varias semanas o incluso más tiempo.

Dado que, por sus características, esta terapia puede ser autoaplicada, no es imprescindible acudir a un profesional. Sin embargo, es mejor hacer previamente un curso para aprender las técnicas básicas.

REFLEXOTERAPIA

La reflexoterapia es un método basado en el masaje de las «zonas reflejas» de los pies, para tratar áreas del cuerpo situadas a distancia, pero relacionadas con los puntos de presión. A diferencia de la auriculoterapia —un método complementario utilizado por los acupuntores—, la reflexoterapia es una terapia por derecho propio.

La reflexoterapia moderna fue introducida por William Fitzgerald, médico estadounidense, pero fueron los antiguos egipcios y chinos quienes descubrieron el vínculo entre los pies y el resto del cuerpo. Algunos dibujos hallados en las paredes de las tumbas de los egipcios representan el masaje de los pies, mientras que la medicina tradicional china siempre ha utilizado esta técnica para tratar los distintos órganos del cuerpo.

La reflexoterapia moderna proviene, en gran parte, de la «terapia zonal», practicada por William Fitzgerald. A este cirujano le llamó la atención el hecho de que algunos pacientes soportaban intervenciones de garganta y nariz sin apenas sentir dolor, mientras que otros referían un intenso dolor. Más tarde descubrió que los pacientes que sentían poco dolor habían estado ejerciendo presión sobre determinadas zonas de las manos durante la intervención.

En 1913, el doctor Fitzgerald se dedicó a estudiar este fenómeno. Dividió el cuerpo en diez zonas longitudinales, desde la cabeza hasta los pies y las manos. Creía que la energía bioeléctrica del cuerpo fluía por estos canales hacia puntos reflejos en las manos y los pies. Estos resultados iniciales fueron recibidos con recelo por el cuerpo médico, aunque algunos facultativos estuvieron dispuestos a analizarlos seriamente, entre ellos, Eunice Ingham, quien desarrolló una técnica de reflexoterapia centrada en la planta y la parte superior del pie y los dedos.

Más tarde se estableció el vínculo entre la reflexoterapia y la acupuntura, aunque el doctor Fitzgerald mantuvo que eran dos terapias muy distintas y que la eficacia de la reflexoterapia se debía a sus efectos terapéuticos sobre los seis meridianos principales de los pies.

Vínculo entre los pies y el cuerpo

Los reflexoterapeutas creen que la forma y el contorno de los pies representan el cuerpo entero y que es posible trazar un plano del cuerpo en las plantas de los pies. El pie derecho corresponde al lado derecho del cuerpo, y el izquierdo al lado izquierdo. Los dedos gordos representan la cabeza, el cuello y sus sistemas. Los senos faciales se encuentran en los dedos restantes, y los ojos, los oídos y sus sistemas se localizan en la raíz de dichos dedos. Las rodillas y la región pelviana se encuentran en las partes más cercanas a los talones.

El tratamiento se basa en la creencia de que la energía del cuerpo fluye por canales, denominados «meridianos», que parten de todos los órganos y se unen con meridianos mayores en varios centros de energía. Estos canales se prolongan hasta las manos y los pies. Cualquier obstrucción a lo largo de los canales produce un pequeño depósito cristalino debajo de la piel de los pies, el cual puede ser detectado por un reflexoterapeuta cualificado. Éste manipula la zona afectada para eliminar dicho depósito y desbloquear el correspondiente meridiano.

Además de eliminar dichos depósitos, la reflexoterapia puede servir para contraer los vasos sanguíneos y estimular, o calmar, determinadas zonas del cuerpo. Se cree que el masaje de los pies también induce la liberación de endorfinas, hormonas producidas por la glándula pituitaria, que inhiben las señales de dolor que llegan al cerebro a través de los nervios espinales. En respuesta al dolor, el cerebro transmite un mensaje a la glándula pituitaria para que produzca más endorfinas, hasta que el sistema sufre una sobrecarga, limitando así el número de señales que llegan al cerebro.

Uso de la reflexoterapia

Esta terapia se utiliza para tratar dolencias comunes, como resfriados, y dolores de cabeza y garganta. En enfermedades crónicas, hay que consultar a un médico.

Por otro lado, se emplea como herramienta de diagnóstico. Si se detecta una zona bloqueada en el pie del paciente, significa que el órgano que corresponde a dicha zona está afectado. Sin embargo, no es posible medir la gravedad o identificar la enfermedad mediante esta técnica.

La reflexoterapia constituye una terapia preventiva, pues mantiene el buen funcionamiento de todos los sistemas del cuerpo y sirve como dispositivo de alarma contra las enfermedades.

Consulta con un reflexoterapeuta

El terapeuta formulará preguntas al paciente sobre su estado general de salud, su estilo de vida, el tipo de ejercicio físico que realiza, sus hábitos alimentarios y el grado de estrés a que está sometido.

Como primer paso, el terapeuta intentará relajar al paciente, liberando la tensión de los tobillos y los pies. La presencia de depósitos de cristal indicará un bloqueo de energía y, después del masaje general, el terapeuta se centrará en las zonas problemáticas. Para eliminar los depósitos, suelen ser necesarias alrededor de seis sesiones. Es posible que se produzcan síntomas de desintoxicación, que pueden afectar la piel. Estas manifestaciones no son graves, sino todo lo contrario, pues significan que la terapia está surtiendo efecto. En cualquier caso, no durarán mucho tiempo.

Reflexoterapia y artritis

A las personas que desean seguir un tratamiento de autoayuda se les recomienda que asistan a un curso apropiado, ya que es importante saber exactamente dónde se localizan las zonas en los pies y conocer las técnicas de masaje especiales que han de utilizarse para las zonas específicas. Por ejemplo, existe una técnica especial para la cabeza y los senos faciales, que consiste en «pasear» el pulgar de una mano por los dedos del pie opuesto, de arriba abajo. Existen otras técnicas específicas para aliviar el dolor artrítico y reumatoide, como la estimulación, o la amortiguación, de las funciones de la glándula pituitaria, el plexo solar y la glándula suprarrenal. También es necesario identificar zonas específicas de los pies, según las articulaciones afectadas por la artritis.

Existen casos documentados de pacientes en los que pudo evitarse la cirugía para sustituir una articulación, gracias al alivio del dolor conseguido con la reflexoterapia. No obstante, estos casos no son frecuentes y la reflejoterapia sólo debe considerarse una forma natural y segura de aliviar el dolor producido por la artritis o el reumatismo.

VIII

OSTEOPATÍA, QUIROPRAXIA Y TÉCNICA DE ALEXANDER: TRABAJO CORPORAL

Según su fundador, Andrew Still, la osteopatía se basa en las capacidades autocurativas del cuerpo. A partir de este principio, Still desarrolló un sistema terapéutico para tratar las disfunciones del sistema osteomuscular que inhiben los procesos de autocuración del cuerpo. El tratamiento osteopático intensifica los poderes autocurativos y ayuda notablemente a solucionar los problemas relacionados con la degeneración de los sistemas del organismo. Asimismo, alivia las tensiones y presiones periféricas, que interfieren en los procesos de curación. En el caso de la artritis, la terapia osteopática restablece la flexibilidad de las articulaciones con ejercicios suaves de estiramiento y, aunque no regenera el cartílago de las superficies articulares, reduce las molestias.

ORÍGENES Y TEORÍA DE LA OSTEOPATÍA

Andrew Taylor Still nació en 1828 en Virginia, Estados Unidos. Tras ver morir a sus tres hijos, empezó a cuestionar las prácticas médicas de la época. Licenciado en ingeniería, y luego en medicina, trabajó como médico en el ejército. Aplicando la lógica de la ingeniería, llegó a la conclusión de que las enfermedades debían tratarse según las causas, y no según los síntomas. Los estudios de Still sobre la interdependencia de la estructura del cuerpo (p. ej., la pérdida de movilidad puede causar dolor de la espalda, y un nervio pinzado en el cuello puede causar dolor en la muñeca o el hombro) lo llevaron a la conclusión de que el cuerpo humano es capaz de curarse a sí mismo y que debe contemplarse como una unidad. Por tanto, el enfoque de Still es holístico. Su teoría de la osteopatía (a la que él dio nombre) se basa en tres principios:

- El cuerpo normal y sano posee poderes innatos de curación y mecanismos de defensa propios.
- El cuerpo constituye una unidad, y el funcionamiento defectuoso de una de sus partes afectará las restantes.
- El cuerpo se encuentra en un estado operativo óptimo cuando la flexibilidad y la movilidad estructurales son máximas.

Este último principio de Still ha sido incorrectamente explicado y mal interpretado. Él nunca afirmó que todas las enfermedades tuvieran su origen en problemas de la columna vertebral o del conjunto del esqueleto, sino que consideraba que el esqueleto, como estructura corporal fundamental, tiene una relación causa-efecto con el resto del cuerpo, es decir, los músculos, el sistema circulatorio y las articulaciones.

En la actualidad la osteopatía, como terapia médica, se halla ampliamente extendida en Estados Unidos, donde goza de gran aceptación, y su validez es reconocida en todo el mundo.

OSTEÓPATA MODERNO

En la época de Still, la osteopatía se utilizaba para curar todas las enfermedades. Hoy en día, su aplicación se ha reducido a tratar los problemas de la médula espinal, los ligamentos, los músculos y los huesos. Además, favorece el drenaje linfático y mejora la respiración.

La primera consulta se inicia con un reconocimiento de la zona afectada. El osteópata estudia la postura y la fluidez de los movimientos del paciente desde que entra en su consulta. Luego procede a examinar los músculos, las articulaciones y toda la superficie corporal para reconocer las zonas afectadas que pueden requerir una rectificación. El objetivo del osteópata no es convertir el esqueleto del paciente en un modelo de perfección, lo cual sería imposible, sino corregir los problemas que limiten el correcto funcionamiento del cuerpo.

Manipulación de las articulaciones

La manipulación de las articulaciones constituye la técnica más conocida de la osteopatía y comúnmente se la denomina «crujido articular», pero en la jerga osteopática se designa «estiramiento de alta velocidad».

Contrariamente a la creencia popular, el crujido percibido al manipular una articulación no se debe a que ésta se coloque en su posición correcta. Como ya hemos mencionado, las articulaciones se encuentran rodeadas por una cápsula fibrosa, tapizada por la membrana sinovial. Las superficies articulares se mantienen separadas por un vacío parcial. Por lo tanto, la presión dentro de la cápsula articular se encuentra ligeramente por debajo de la presión atmosférica. Cuando se manipula la articulación, los extremos óseos se separan, lo que altera la presión normal dentro de la cápsula articular, liberándose minúsculas burbujas de gas que producen pequeños estallidos. No obstante, no son estos estallidos, ni la liberación de burbujas, los que alivian el dolor. De hecho, el objetivo de la osteopatía es estirar la cápsula articular para aliviar el dolor y mejorar la movilidad de la articulación.

Tratamiento

No existe un tratamiento estándar, ya que la mayoría de los osteópatas creen que cada paciente debe tratarse de forma individualizada. Existen varias técnicas de autoayuda, como la *técnica de energía muscular*, que proporciona alivio en los esguinces y tirones leves. En su libro *Osteopathic Self-Treatment*, Leon Chaitow describe técnicas para complementar los tratamientos convencionales. Huelga decir que las técnicas de autoayuda deben aplicarse con sumo cuidado y sólo después de identificar la causa del problema.

QUIROPRAXIA

La quiropraxia y la osteopatía pertenecen al grupo de terapias de manipulación y, dentro de ellas, son las que más se asemejan entre sí. Sin embargo, la primera incide sobre todo en el movimiento de las articulaciones y utiliza manipulaciones más vigorosas, mientras que la segunda hace hincapié en la manipulación directa de la columna para ajustar la posición de las vértebras. La quiropraxia se centra en la columna y en sus efectos sobre el sistema nervioso y el resto del cuerpo. La radiología también se emplea para el diagnóstico.

La quiropraxia trata el dolor de espalda, del cuello y de la zona lumbar mediante una manipulación suave de la columna vertebral. El fundamento de esta técnica es que los nervios espinales que emergen de ella llegan a todo el cuerpo y, por consiguiente la columna desempeña un papel clave en los procesos de dolor. Por ejemplo, una vértebra desplazada que comprime un nervio puede provocar dolor en una extremidad o dolor de cabeza. El quiropráctico localiza la vértebra o las vértebras desplazadas y las corrige. No se utiliza fármaco alguno, puesto que la quiropraxia es exclusivamente una terapia de manipulación.

En la primera consulta, el quiropráctico recoge todo tipo de datos sobre la historia médica del paciente, incluyendo las lesiones sufridas en la infancia o la juventud y el estilo de vida actual. A continuación somete al paciente a un reconocimiento exhaustivo, en el que se incluye una revisión médica rutinaria similar a la que realiza el médico de cabecera. Tras un examen mediante manipulación de los músculos, la piel, los huesos y las articulaciones, el profesional está en condiciones de decir si la quiropraxia está indicada en ese caso o si debe remitir de nuevo al paciente al médico de cabecera. Para hacer el diagnóstico, los quiroprácticos se basan en la textura, la sensibilidad y el movimiento del cuerpo. A menudo utilizan técnicas radiológicas, ya que pueden revelar claramente cualquier indicio de rarefacción ósea, artritis u otras deformaciones de las articulaciones, como las excrecencias óseas.

En el tratamiento se incluyen técnicas como el masaje de músculos y ligamentos, estiramientos, ejercicios posturales, masaje giratorio y presión directa sobre la zona afectada. Según la gravedad del problema es posible observar una mejoría tras una sola sesión o al cabo de varias.

La técnica básica de la manipulación, conocida como *ajuste*, es similar a la acción de crujir los nudillos. Cuando esta técnica, que consiste en un movimiento rápido, se aplica a las articulaciones, la separación repentina de las superficies articulares (tapizadas por un tejido flexible, que contiene una capa fina de líquido) produce un sonido parecido al de una ventosa cuando es arrancada de un cristal.

Tratamiento

Se ha demostrado que es posible aliviar el dolor artrítico restableciendo la movilidad de las articulaciones, y los quiroprácticos creen que la verdadera causa de esta enfermedad es la rigidez de las vértebras. En julio de 1990 se publicaron en el *British Medical Journal* los resultados de un estudio de tres años, llevado a cabo por el Medical Research Council, en el que se comparó el tratamiento quiropráctico con el tratamiento ambulatorio para el dolor de espalda: En el 70 % de los casos el tratamiento quiropráctico fue más eficaz.

La quiropraxia no es adecuada para ser autoaplicada, puesto que la manipulación es una técnica muy precisa que requiere la participación de un profesional.

TÉCNICA DE ALEXANDER

Los profesores de la técnica de Alexander creen que es posible aprender a corregir los malos hábitos posturales, para que el cuerpo funcione de forma más natural, relajada y eficaz. Esta técnica, que es totalmente segura, induce una sensación de bienestar físico y psíquico y ayuda a aliviar los síntomas de algunas enfermedades, incluyendo la artritis y el reumatismo.

La técnica fue desarrollada por un actor australiano, Frederick Matthias Alexander, que solía quedarse sin voz en el escenario. Al corregir su postura pudo curar su problema, descubriendo que las relaciones entre la cabeza, el cuello y la espalda tienen enorme importancia para alcanzar el máximo potencial del cuerpo. Su descubrimiento sentó las bases de una técnica nueva para controlar los movimientos y las posturas del cuerpo. Hoy en día existen escuelas de la técnica de Alexander en todo el mundo.

Cómo aprender la técnica de Alexander

Por lo general, las «clases» se imparten individualmente. Al principio, el «profesor» observa los movimientos y las posturas del alumno. Todas las actividades, incluso las más sencillas, como andar o leer un libro, requieren el empleo de muchos músculos, y para contrarrestar la acción de la gravedad son necesarios cierta tensión muscular e «impulso». Los niños suelen moverse con más naturalidad que los adultos, pero a menudo adquieren malos hábitos a medida que crecen. Acciones tan sencillas como sujetar un bolígrafo con demasiado fuerza o apretar los dientes al abrir un bote de mermelada, producen tensión en las articulaciones. Al parecer, este exceso de tensión constituye una de las causas de la artritis y afecta sobre todo las caderas, la columna vertebral, las rodillas y las manos, que pierden la funcionalidad de su diseño.

Glynn Macdonald, una profesora muy experimentada de la técnica de Alexander, escribe:

> A fin de beneficiarnos de la elasticidad y la agilidad de nuestro cuerpo y evitar las malas posturas y la tensión muscular, debemos procurar que la cabeza y las articulaciones tengan la mayor movilidad posible. Cada hueso del cuerpo forma una articulación con algún otro hueso. Si no tuviésemos articulaciones, no podríamos mover nuestro cuerpo. Las articulaciones están diseñadas para relajarse y extenderse, pero a menudo entorpecemos esta capacidad poniéndonos rígidos e inflexibles, lo que puede producir dolor.

Algunas personas padecen tensión muscular crónica, que origina una mala alineación de la cabeza, el cuello y la columna vertebral; como consecuencia tienen los hombros arqueados, la cabeza hundida y la columna vertebral encorvada. Si estas malas posturas no se corrigen, se produce un encorvamiento de la columna vertebral, y puede aparecer una giba en la base del cuello, que causa dolor de espalda y tensión en el corazón, los pulmones, el aparato digestivo y las articulaciones. Asimismo, es posible que se manifiesten problemas respiratorios y circulatorios. Si se corrigen las malas posturas, se reduce la tensión en las articulaciones, aliviando así el dolor.

El profesor de la técnica de Alexander enseña al alumno a evitar las malas posturas y a utilizar sus músculos con el menor esfuerzo y la mayor eficacia posible. También manipula suavemente el cuerpo del alumno, de pie, sentado o tumbado, para corregir sus malos hábitos posturales, mientras le explica cuáles son. Para aprender a liberar la tensión muscular y a utilizar el cuerpo correctamente, el alumno debe repetir muchas veces incluso el más sencillo de los movimientos y pensar constantemente en lo que está haciendo. El profesor no utiliza la fuerza —la manipulación no forma parte de la terapia—, sino que se limita a corregir las posturas del alumno, que vuelve a aprender a andar, sentarse, estar de pie y moverse, de forma libre y relajada.

Un curso para aprender las técnicas básicas suele consistir en treinta clases, que pueden durar entre treinta y cuarenta y cinco minutos.

IX

AROMATERAPIA: AROMAS PARA ARTICULACIONES SANAS

El término «aromaterapia» revela por sí mismo el fundamento de este método curativo. Esta técnica combina el masaje con los aceites esenciales de las plantas, para estimular los órganos sensoriales del cuerpo.

La aromaterapia no es nueva, pues el manuscrito más antiguo sobre ella es chino y se remonta a los años 1000-700 a. C. Ya en la Biblia se menciona el uso de plantas y sus aceites esenciales con fines curativos. Los egipcios utilizaban extensamente los aceites aromáticos, para elaborar medicamentos y productos para embalsamar. Al abrir la tumba de Tutankamón, aún se percibía un tenue olor a aceites aromáticos, empleados para embalsamar el cuerpo. Los romanos también usaban esencias de plantas para cocinar y para elaborar medicamentos, y se afirma que fueron ellos quienes introdujeron el uso de estos aceites esenciales en las islas Británicas.

En Europa, el estudio de la medicina disminuyó durante la Edad Media, pero en las culturas china, india y árabe su desarrollo continuó y alcanzó un nivel muy avanzado. Fue el médico y filósofo árabe Abu Ibn Sina (982), conocido en Occidente como Avicena, quien desarrolló la técnica de arrastre por vapor para la extracción de los aceites esenciales de plantas, convirtiendo la aromaterapia en un tratamiento viable. Todavía se utiliza este método de extracción.

Durante el Renacimiento (período histórico comprendido entre finales del siglo XIV y mediados del XVI, caracterizado por un nuevo ideal de vida y por el florecimiento de los estudios y del arte en Occidente), se introdujeron en Europa nuevas especies de plantas, y durante los siglos posteriores, la extracción y el uso de aceites esenciales de plantas para elaborar antisépticos, perfumes y medicamentos experimentó un gran auge.

La Revolución Industrial del siglo XIX produjo grandes avances en el campo de la química; así, los nuevos medicamentos artificiales ocasionaron un declive progresivo del uso de las plantas y sus esencias, hasta que se descubrió que las nuevas sustancias no ejercían los mismos efectos terapéuticos que sus modelos naturales. (Todos los aceites esenciales se componen de una compleja mezcla de sustancias orgánicas, y su valor terapéutico no depende de una sola de ellas, sino de su acción conjunta. Dado el gran número de componentes de cualquier aceite esencial, es imposible obtener un compuesto sintético idéntico.)

El resurgimiento de la aromaterapia se debe en gran parte al médico francés René Gattefosse (1881-1950), que redescubrió accidentalmente el poder curativo de los aceites esenciales. Tras sufrir una quemadura en una mano, mientras trabajaba en su laboratorio, la introdujo inmediatamente en el primer líquido que encontró, que resultó ser aceite de espliego. Al observar la rapidez con que se curó la quemadura, sin dejar cicatriz, procedió a investigar las propiedades y los efectos terapéuticos de otros aceites. Sus estudios posteriores condujeron a un uso extensivo de los aceites esenciales, que incluso se utilizaron para tratar a los soldados heridos en la Primera Guerra Mundial. El término «aromaterapia» fue creado por Gattefosse.

Tras la muerte de Gattefosse, el médico francés Jean Valnet continuó con su trabajo y descubrió la utilidad de los aceites esenciales de clavo, limón y manzanilla, como desinfectantes y antisépticos para fumigar las salas de los hospitales y esterilizar el instrumental quirúrgico. La introducción de la aromaterapia en la industria cosmética se produjo de la mano de la bioquímica francesa Marguerite Maury (1895-1968), quien desarrolló las técnicas del masaje aromaterapéutico.

¿QUÉ ES UN ACEITE ESENCIAL?

Los aceites esenciales están presentes en todas las plantas y hierbas, a las que dan fragancia o sabor. Se extraen de todas las partes de la planta: las hojas, las flores, las raíces, las semillas y la corteza.

Técnicas de extracción

Existen varias técnicas de extracción. La más común es el arrastre por vapor, inventado por Abu Ibn Sina, que consiste en pasar una corriente de vapor de agua, bajo presión, a través de la materia vegetal. El calor provoca la liberación y evaporación del aceite que, posteriormente, pasa a un refrigerante de agua donde se condensa y se recoge. Otro método de extracción consiste en rociar la planta con un disolvente, como el éter. Cuando el disolvente se evapora, el aceite persiste. En el caso de los cítricos, se exprime o ralla la cáscara y se recoge el aceite de las células rotas en una esponja.

Es asombrosa la cantidad de materia vegetal que se requiere para extraer un aceite esencial, ya que para obtener un kilogramo de aceite se necesitan alrededor de 70 kg de materia vegetal. Es importante señalar que la cantidad varía según la naturaleza de la planta y el momento en que ha sido cosechada. Por ejemplo, el jazmín cosechado al anochecer dará la mayor cantidad de aceite, mientras que la rosa contiene una cantidad tan pequeña de aceite esencial que, en el caso de algunas especies, se requieren más de 100 kg para producir medio litro de aceite. El precio final del aceite esencial depende del contenido de la planta, por lo que el obtenido de la rosa es el más caro.

¿Cómo actúan los aceites esenciales?

Los aceites esenciales son sustancias químicas complejas, formadas por cientos de componentes activos. Actualmente, aún se desconoce cómo actúa la mayoría de estos componentes. Al intentar sintetizar aceites esenciales, se ha demostrado que es imposible extraer y usar aisladamente un solo componente activo de los muchos que llega a contener un aceite esencial y conservar sus propiedades terapéuticas. Por ejemplo, el componente principal del aceite de toronjil, un aldehído del citral, extraído y sintetizado químicamente, provoca una reacción alérgica al ser aplicado sobre la piel. Sin embargo, el aceite de toronjil natural no produce reacción alérgica alguna. Numerosos estudios han demostrado que otros componentes secundarios del aceite de toronjil natural ayudan a neutralizar los efectos nocivos del aldehído de citral.

Todos los aceites esenciales son antisépticos y estimulan el sistema inmunitario. Además de sus propiedades terapéuticas, se cree que inducen una sensación de bienestar físico y psíquico.

Para ejercer sus efectos, los aceites esenciales deben alcanzar la corriente sanguínea, a la que llegan por diversas vías. Cuando se aplican con el masaje, atraviesan la piel y difunden a través de los capilares (vasos sanguíneos muy pequeños) hasta llegar a la sangre. El masaje también estimula el riego sanguíneo y el sistema inmunitario y, por tanto, fortalece las defensas del cuerpo contra la enfermedad. Asimismo, el masaje alivia la tensión y el dolor musculares e induce un estado de relajación mental y física. Algunos aromaterapeutas utilizan los mismos puntos de presión que se emplean en acupuntura o digitopuntura; de esta forma resultan beneficiados tanto órganos específicos como la totalidad del cuerpo. El tacto, uno de los cinco sentidos del ser humano, es importante ya que constituye uno de los medios por el que las personas comunican sus sentimientos. Los bebés y los niños necesitan las caricias de sus padres para sentirse amados y seguros; lo mismo ocurre, aunque en menor grado en el caso de los adultos. El masaje induce una sensación de amor y atención, satisfaciendo las necesidades emocionales.

Añadidos al agua del baño, los aceites esenciales actúan como tónicos o sedantes. El agua caliente abre los poros y ayuda a absorber los aceites. Asimismo, los vapores pasan a la sangre a través de los pulmones. Los baños con aceites esenciales están indicados para reducir el estrés y la tensión muscular.

Cuando son inhalados mediante un pañuelo húmedo o un difusor ambiental, los aceites esenciales pasan directamente a la sangre a través de los pulmones. Un difusor es un pequeño recipiente de barro o loza, en el que se queman aceites esenciales. En la parte superior está provisto de un receptáculo, donde se deposita un poco de agua con unas gotas de aceite; por debajo se coloca una vela, que calienta el aceite cuyo aroma se difunde por la habitación. Hoy en día, los difusores y los aceites esenciales pueden comprarse en tiendas especializadas y farmacias.

Los diferentes olores nos afectan de diversas formas. Pueden evocar recuerdos y actuar sobre nuestro subconsciente. Los nervios olfatorios están estrechamente relacionados con la memoria, el pensamiento y el comportamiento. Todos reaccionamos con placer ante determinados olores, mientras que otros nos repugnan. Esto puede explicar la ayuda que la aromaterapia brinda a los aspectos emocionales y psíquicos de los procesos de curación. Se utilizan diferentes olores para relajar o estimular al paciente, según sus necesidades.

Aromaterapia para alivio del estrés

Las enfermedades relacionadas con el estrés, que comprenden los dolores de cabeza y dolencias más graves, como la artritis y el reumatismo, constituyen un problema de salud cada vez más grave. El estrés perjudica el sistema inmunitario y, por tanto, las defensas del cuerpo que combaten la enfermedad. El verdadero problema no radica en el estrés, sino en la incapacidad de la persona para combatirlo. Puesto que su objetivo fundamental es reducir el estrés, la aromaterapia puede considerarse una terapia preventiva.

El masaje con aceites esenciales es especialmente eficaz, ya que éstos actúan sobre la tensión mental, mientras el masaje alivia la tensión física. Por otra parte, los efectos del masaje aromático pueden inducir cambios notables en la forma de dormir, incrementando la vitalidad y la energía física. Por lo tanto, todos los trastornos relacionados con el estrés, como los problemas digestivos, el acné y otras enfermedades de la piel, la tensión muscular y articular, pueden tratarse de forma eficaz con la aromaterapia. Esto se debe en parte a que el cerebro segrega sustancias químicas inductoras del estado de ánimo que actúan como estimulantes o sedantes. Algunos aceites esenciales estimulan la liberación de analgésicos naturales, cuya utilidad es evidente.

ACEITES ESENCIALES PARA EL TRATAMIENTO DE LA ARTRITIS Y DEL REUMATISMO

Puesto que la artritis reumatoide es el resultado de un sistema inmunitario hiperactivo, suelen recetarse medicamentos para reducir la actividad de dicho sistema. Ningún aceite esencial ejerce este efecto; por el contrario algunos aumentan la actividad del sistema inmunitario, por lo que deben evitarse. No obstante, el masaje con aceites que relajen los músculos es beneficioso.

Como hemos mencionado, la artrosis se produce como consecuencia de una tensión excesiva o una infección de las articulaciones y los huesos. Si no se toman medidas para aliviar esta situación, la inflamación articular y el deterioro del cartílago empeorarán hasta el punto de que la única opción será la sustitución de la articulación afectada. El masaje de las articulaciones y la estimulación del riego sanguíneo ayudan a prevenir la artritis y el reumatismo. También es importante no sobrecargar la articulación afectada y seguir una dieta rica en nutrientes (v. cap. III). Si se trata de una infección, se utilizan aceites esenciales que estimulen el sistema inmunológico.

- El *espliego* es beneficioso, ya que estimula el sistema inmunitario y tiene propiedades antisépticas. También estimula el sistema circulatorio, por lo que aumenta el aporte de oxígeno a los músculos y mejora la distribución de nutrientes en todo el cuerpo. En cuanto a los aspectos emocionales y psíquicos, el espliego actúa como sedante y calmante. Según la gravedad del dolor, el masaje podrá realizarse, o no, en las zonas afectadas; en cualquier caso, un masaje general sigue siendo beneficioso para relajar el cuerpo y mejorar la circulación del paciente.

- En otro tiempo, la *manzanilla* se utilizaba en los hospitales por sus poderosas propiedades antisépticas. Es especialmente eficaz en la artrosis, pues estimula el sistema inmunitario, pero *no* debe emplearse en pacientes con artritis reumatoide. Cuando la artritis está causada por una infección, la manzanilla ayuda a destruir las bacterias nocivas. Utilizada en baños, compresas o con el masaje, la manzanilla alivia la inflamación articular y muscular.

- El *ciprés* no produce ningún efecto secundario y puede utilizarse para tratar todos los tipos de artritis, puesto que no estimula específicamente el sistema inmunitario. Mejora el riego sanguíneo y actúa como astringente reduciendo el exceso de ácidos; el ciprés es especialmente útil, por tanto, cuando el exceso de ácidos constituye un factor agravante de la artritis. También alivia la tensión nerviosa e induce una sensación de bienestar físico y psíquico.

- El *pino*, en combinación con el ciprés, tiene propiedades antisépticas. De forma aislada se emplea para tratar infecciones y mejorar el riego sanguíneo. Aplicado en compresas calientes, alivia la zona afectada, y añadido en gotas a un baño caliente tiene un efecto terapéutico sobre todo el cuerpo.

- El *enebro* puede utilizarse para todos los tipos de artritis, sin riesgo de efectos secundarios. Se emplea junto con el masaje de las zonas afectadas, en compresas o en baños calientes. Como diurético, es beneficioso en caso de que la retención de líquido se deba al aumento de peso. En la artrosis debe controlarse el peso para evitar la sobrecarga de las articulaciones afectadas. El enebro también es un potente purificador, tónico y antiséptico, que ayuda a combatir y a eliminar infecciones.

- Las propiedades antisépticas del *eucalipto* son de sobra conocidas. También estimula el sistema inmunitario, por lo que personas con artritis reumatoide no deben utilizarlo. En la artrosis, las propiedades antisépticas y estimulantes del eucalipto reducen la infección y mejoran el riego sanguíneo y/o el sistema inmunitario perezosos. Se utiliza en compresas aplicadas directamente sobre la articulación afectada, así como en baños o con el masaje.

- El *cilantro* es una especie muy empleada en cocina india. Existen muchas imitaciones, obtenidas mediante la combinación de otros aceites esenciales, por lo que es importante asegurarse de que el cilantro proviene de una fuente fiable. *Se advierte que una sobredosis de cilantro puede causar intoxicaciones e incluso, la muerte. Por consiguiente, debe administrarse en dosis muy pequeñas.* No obstante, el cilantro es muy eficaz para reducir inflamaciones, estimular el riego sanguíneo y aliviar el dolor. Para la dosificación y el modo de empleo, consulte con un aromaterapeuta cualificado.

- El *limón*, con su aroma limpio y fresco, estimula el sistema inmunitario y, por lo tanto, está contraindicado para las personas con artritis reumatoide. El limón detoxifica y purifica la sangre, y sus propiedades antisépticas eliminan bacterias nocivas. También es un diurético y puede ayudar a perder peso.

- Las propiedades del aceite esencial de *romero* varían según la parte de la planta de la que se obtiene. Así, de los tallos y las hojas se extrae, antes de que la planta florezca, un aceite de menor calidad, mientras que las flores proporcionan un aceite mejor y más caro. Además de estimular el riego sanguíneo, el romero es un antiséptico potente. También alivia la rigidez y el dolor muscular y articular en general. Se utiliza en baños, compresas y con el masaje. Sus propiedades aumentan cuando se combina con espliego. Sin embargo, las personas con artritis reumatoide no deben utilizarlo, puesto que estimula el sistema linfático.

- La *mejorana*, mezclada con romero, es muy eficaz para aliviar el dolor y la inflamación de tirones y contusiones en los músculos y las articulaciones. También es un sedante suave que alivia la tensión nerviosa y el estrés e induce una sensación de calor y bienestar. Se utiliza en baños, compresas, con el masaje o en difusor.

- El *jengibre* produce una sensación de calor, similar a la de una pomada, y alivia el dolor muscular con rapidez. Se utiliza en baños o compresas para estimular el riego sanguíneo y aliviar cualquier tipo de dolor artrítico. Hay que evitar las sobredosis, ya que esta hierba puede aumentar excesivamente la temperatura de la piel.

RESUMEN

Además de aliviar el dolor, la aromaterapia reduce el estrés y la tensión que exacerban el daño a las articulaciones. Aumenta el riego sanguíneo, previniendo así la rigidez articular, estimula el sistema inmunitario y mejora la capacidad del cuerpo para combatir las infecciones que pueden producir artritis. Reduce la inflamación y la tumefacción de las articulaciones afectadas. Pero, sobre todo, la aromaterapia relaja al paciente y estimula los procesos de curación.

Por supuesto, sería absurdo afirmar que la aromaterapia cura la artritis, y por ello hay que seguir un tratamiento convencional bajo supervisión médica. Pero, además de aliviar los síntomas físicos y psíquicos de la artritis, la aromaterapia ayuda a prevenirla.

ENTREVISTA A UN AROMATERAPEUTA

P. ¿Se puede emplear la aromaterapia para tratar todo tipo de enfermedades o existen limitaciones?

R. Es difícil responder a esa pregunta, ya que su empleo no sólo varía según el terapeuta, sino también según el país. En Francia, por ejemplo, los facultativos utilizan la aromaterapia para tratar diversas enfermedades e incluso prescriben aceites esenciales para ser tomados por vía oral; también recetan fármacos, como los médicos de cabecera.

Sin embargo, la mayoría de los aromaterapeutas no son médicos licenciados, por lo que tienden a limitar el uso de la aromaterapia al tratamiento del estrés. La supresión del estrés favorece el proceso de curación. Pero existen diversidad de opiniones entre los aromaterapeutas; así algunos de ellos dirían que es posible emplear la aromaterapia para curar cualquier enfermedad, afirmación que es parcialmente cierta.

P. ¿Es cierto que cualquier persona puede automedicarse, utilizando la aromaterapia, incluso si se trata de una enfermedad grave?

R. En el caso de enfermedades graves, se debe consultar con un facultativo holístico, que examinaría detalladamente tanto la enfermedad del paciente como su estilo de vida en general; de lo contrario, sólo estaría tratando los síntomas, sin llegar a la raíz de la enfermedad. Por ejemplo, si una persona que padece pie de atleta se aplica aceite de espliego, es posible que la dolencia desaparezca, pero sólo momentáneamente. De hecho, sólo se habrán tratado los síntomas, que pueden estar causados por el calzado, el estrés o por *una carencia de vitamina B, entre otras cosas. Es posible que sea necesario un tratamiento más profundo, junto con un cambio en los hábitos alimentarios, suplementos dietéticos, como las cápsulas de ajo, etc.* Las dolencias leves pueden tratarse en el hogar, pero, si los síntomas persisten, es aconsejable consultar con un médico.

P. ¿Puede ser peligroso emplear la aromaterapia junto con otras terapias, como la acupuntura, la homeopatía o los tratamientos convencionales?

R. Con respecto a la acupuntura, no creo que exista peligro alguno, pero, como siempre, existen diversas opiniones. Algunos aromaterapeutas argumentan que es mejor someterse a una sola terapia por vez; de otro modo es imposible saber cuál de las terapias está surtiendo efecto. Por lo demás, el masaje suave con aceites muy diluidos es completamente inocuo, y creo que constituye el tratamiento más adecuado, ya que su objetivo es restablecer el equilibrio del cuerpo.

Algunos homeópatas prohíben el uso de cualquier sustancia aromática mientras dura el tratamiento, pues afirman que incluso la pasta de dientes puede anular los efectos terapéuticos de determinados remedios. Otros no comparten esta opinión. Por consiguiente, es difícil responder a su pregunta. Pero se ha demostrado que el eucalipto, la hierbabuena y, en menor grado, el alcanfor anulan los efectos terapéuticos de algunos remedios homeopáticos. Éste también es el caso del café, por la simple razón de que es altamente aromático. De todas formas, siempre es mejor aclarar cualquier duda, consultando con un homeópata.

P. En su calidad de aromaterapeuta, ¿permitiría a un paciente someterse a un tratamiento homeopático o a la acupuntura al mismo tiempo que la aromaterapia?

R. *Sí; siempre que no se sometiera a varias terapias al mismo tiempo. Por lo general, el masaje es una terapia relajante que estimula los procesos del cuerpo, fortaleciendo el sistema inmunitario.*

P. Dado que el masaje no se incorporó a la aromaterapia hasta comienzos del siglo, ¿cuál es su importancia en realidad?

R. *Antes de que Marguerite Maury empezara a emplear el masaje en los años cincuenta, los facultativos solían utilizar los aceites esenciales para tratar enfermedades externas, igual que la fitoterapia. Los antiguos egipcios empleaban hierbas inductoras del estado de ánimo, pero no como aceites esenciales, ya que aún no se habían descubierto las técnicas de extracción.*

En Francia, los médicos no suelen utilizar el masaje; de hecho, fue Marguerite Maury quien introdujo esta técnica en dicho país. En Inglaterra, por otro lado, el masaje constituye uno de los métodos de aromaterapia más importantes para reducir el estrés, y éste es el objetivo que más me interesa. La mayoría de las enfermedades se producen como consecuencia de un desequilibrio entre los aspectos emocionales y psíquicos del cuerpo.

P. ¿Se han realizado estudios científicos sobre los efectos de la aromaterapia y sus poderes curativos?

R. *En Francia y Alemania, se han llevado a cabo muchos estudios con este fin. Recientemente, los científicos alemanes descubrieron que el incienso contiene las mismas sustancias que el cáñamo de la India, es decir, sustancias inductoras del estado de ánimo.*

P. Dado que los aceites esenciales se obtienen fácilmente en la mayoría de los países occidentales, ¿qué aconsejaría a una persona que quisiera comprarlos?

R. Lo mejor es aprender distinguir los distintos olores de los aceites, para comprar siempre aceites esenciales de buena calidad. A menudo, están demasiado diluidos para administrarlos según las dosificaciones tradicionales. Yo aconsejo adquirirlos en herboristerías o tiendas dietéticas establecidas y, en caso de duda, consultar con un aromaterapeuta.

P. ¿Cómo estimulan los aceites esenciales el sistema inmunitario?

R. Por ejemplo, desencadenan la liberación de endorfinas, unas hormonas que inducen un estado de bienestar, y es sabido que, cuando somos felices, disminuyen las probabilidades de enfermar. En Francia, el uso de tomillo, manzanilla y espliego para aumentar la producción de glóbulos blancos está muy extendido. La aromaterapia tiene muchas facetas y actúa en varios niveles. Estimula los mecanismos de autocuración del cuerpo desde un punto de vista tanto físico como emocional.

P. ¿Existen enfermedades, como el asma o las cardiopatías graves, en las que hay que evitar el uso de aceites esenciales?

R. El uso de algunos aceites esenciales es peligroso durante el embarazo o en el caso de determinadas enfermedades o alergias. Antes de autoadministrarse cualquier aceite esencial, es imprescindible consultar con un aromaterapeuta cualificado.

P. ¿Que es un aceite esencial «potente»?

R. El jengibre es un aceite esencial potente o rubefaciente, ya que produce enrojecimiento de la piel, una reacción que forma parte de sus poderes curativos (el objetivo es calentar la zona afectada, pero si se utiliza muy concentrado puede producir sarpullido). Los aceites esenciales nunca se emplean puros, sino diluidos; el grado de dilución varía según la potencia del aceite; el jengibre sólo se utiliza en una proporción de una gota por cada 20 ml de aceite, mientras que para el espliego la proporción es de tres gotas por cucharadita de aceite. La proporción varía con cada aceite esencial.

P. ¿Hay que ser un experto para utilizar aceites esenciales?

R. Si es la primera vez que los utiliza, procure emplear concentrados muy bajos y asegúrese de conocer sus contraindicaciones. Por ejemplo, el aceite de clavo nunca debe aplicarse directamente sobre la piel.

P. ¿Cuánto tiempo duran los estudios de aromaterapia?

R. Existen varias clases de cursos. Los mejores duran al menos un año y requieren conocimientos de anatomía y fisiología. En algunos países europeos no se requiere título para ejercer la aromaterapia. De hecho, algunas personas sólo asisten un breve curso antes de abrir una consulta, aunque no son miembros del colegio oficial de aromaterapeutas.

P. ¿Cómo definiría la aromaterapia desde el punto de vista de la curación?

R. En mi opinión, la aromaterapia constituye sólo una terapia complementaria, es decir, sirve para estimular la capacidad de autocuración del cuerpo y para fomentar la relajación. Al ser una terapia holística, no trata la enfermedad, sino la persona en su totalidad.

P. Para usted, ¿cuál es el aspecto curativo más importante de la aromaterapia?

R. ¡La atención y la consideración con las que un aromaterapeuta trata a sus pacientes!

X

CONCLUSIONES

¿Tiene alguna ventaja elegir una terapia determinada, sea convencional o alternativa, para conseguir la salud y el bienestar? No hay una respuesta sencilla. Si nuestro objetivo es vernos libres de los síntomas de la enfermedad, cualquier terapia que los elimine con rapidez y eficacia sería la adecuada. Sin embargo, si consideramos la curación como la recuperación de un buen estado de salud integral, entonces se han de enfocar las terapias desde un punto de vista muy diferente.

La curación no es simplemente la reparación de una disfunción del cuerpo. Cuando el organismo presenta una disfunción, la persona resulta afectada en varios planos. Si un individuo dice que tiene dolor de cabeza, está hablando de algo que sucede en su interior. Y si se limita a su cabeza y, por ejemplo, toma una aspirina, significa que está haciendo caso omiso de la fuente interna del dolor.

Ni el médico de cabecera con sus fármacos, ni el

fitoterapeuta con sus hierbas, ni el aromaterapeuta con sus aceites esenciales, ni el acupuntor con sus agujas, ni el osteópata con su manipulación, ni el médico antroposófico con su terapia artística, su eurritmia y su hidroterapia pueden curar. Sólo el paciente puede curarse a sí mismo. El doctor Albert Schweitzer afirma:«Cada paciente lleva dentro su propio médico.»

Para que el proceso de curación se ponga en marcha, se ha de partir del deseo de tener buena salud. Este deseo de curarse está en la base de la interacción mente-cuerpo y por ello es importante conocer estas relaciones.

Si se comprende y se acepta dicha interacción, el cuerpo y la mente actuarán conjuntamente para conseguir el bienestar. Este conocimiento nos dará la clave para comprender por qué pueden ser eficaces las terapias descritas en los capítulos anteriores. Sea cual fuere la terapia, ésta sólo dará resultado si se mantiene una actitud positiva hacia la técnica curativa aplicada y el profesional que nos ayuda en nuestro proceso de autocuración.

La cultura de la dependencia fomentada por la medicina convencional, con su énfasis en el tratamiento de las partes enfermas del cuerpo, ha favorecido la pérdida de confianza en nuestras propiedades autocurativas. Depositamos nuestra confianza en el medicamento para autotranquilizarnos y convencernos de que la medicina nos «curará».

Las raíces de esta forma de pensamiento se atribuyen a René Descartes, cuya máxima «Pienso, luego existo», consolidó los conceptos *res cognitas* (el terreno de la mente) y *res extensa* (el terreno de la materia) como entidades separadas. Su percepción del mundo material ha calado tan hondo en la cultura moderna que ahora

vemos el cuerpo humano como una máquina compleja, constituida de piezas superpuestas. Descartes dijo:
«Considero el cuerpo humano como una máquina. A
mi parecer, se puede comparar una persona enferma
con un reloj mal hecho, y una persona sana con un reloj
bien hecho.»

Este legado del dualismo ha guiado y moldeado las
bases de la medicina moderna hasta la actualidad.

El estudio de las enfermedades en nuestros días se
centra en los procesos bioquímicos, que atribuyen las
causas de todas las enfermedades a factores biológicos.
Obsesionada con las mediciones, los modelos estadísti-
cos y las pruebas por doble ciego, la medicina moderna
no trata a las personas como un todo y parece negar la
capacidad humana de autocuración. El tratamiento no
tiene en cuenta la relación entre la mente y el cuerpo.
No importa de qué enfermedad se trate, si no se acepta
la existencia de esta relación no es posible conseguir
una verdadera curación ni restablecer totalmente la salud y el bienestar.

En primer lugar, debemos reconocer que tanto la
mente como el cuerpo constituyen aspectos de un todo;
están interrelacionados y no se pueden considerar de
forma aislada. Ese estado de perfecto equilibrio, como
el que se experimenta en la niñez, es posible. Para lo-
grarlo, es necesario comprender cómo la mente y el
cuerpo se influyen recíprocamente. Existe un complejo
sistema de información que transmite mensajes entre la
mente y el cuerpo en el interior del torrente sanguíneo.

La *glándula pituitaria* y el *hipotálamo* (órgano situado por detrás y entre los ojos, que tiene conexiones con
todo el sistema nervioso) controlan la actividad psicológica y emocional y regulan su relación con las funciones físicas del cuerpo. Un buen ejemplo de este tipo de

conexiones es el *nervio vago*, que conecta el estómago con el hipotálamo; esta relación explica los trastornos digestivos causados por el estrés y la ansiedad.

Ya hemos mencionado que el sistema inmunitario es imprescindible para proteger el cuerpo frente a las sustancias que causan las enfermedades. Sin embargo, si las glándulas suprarrenales liberan determinadas hormonas que alteran la relación entre el cerebro y el sistema inmunitario, el cuerpo será más vulnerable a las enfermedades. Además del estrés, dicha alteración puede ser causada por sentimientos reprimidos, como la cólera prolongada, la amargura y otras emociones y sentimientos negativos.

El *sistema límbico* es una zona del cerebro en forma de anillo, formado por grupos de células nerviosas, en el que se incluye el hipotálamo. Denominado el «centro de las emociones», el sistema límbico regula las funciones nerviosas básicas, como la sudación, la digestión y la frecuencia cardíaca, y también influye en las emociones y el olfato. Por lo tanto, el sistema límbico tiene gran importancia en la relación entre el cuerpo y la mente. A su vez, dicho sistema es influido por la *corteza cerebral* (la parte del cerebro responsable del pensamiento, la percepción, la memoria y las demás actividades intelectuales).

El estrés constituye un ejemplo de señal de alarma que envía la corteza cuando percibe una situación que amenaza la existencia del cuerpo. En cuanto suena la alarma, el sistema límbico y, consecuentemente, los sistemas nervioso e inmunitario entran en acción. Esta activación hace que los músculos se tensen, los vasos sanguíneos se contraigan y que aparezcan otros síntomas de un desorden nervioso generalizado.

Algunas reacciones se manifiestan inmediatamente,

como sucede con el rubor cuando las emociones provocan un aumento de la irrigación sanguínea de la cara; otras, como la cólera reprimida, son de carácter acumulativo y tardan más tiempo en manifestarse en forma de enfermedad.

No cabe duda de que existe un vínculo innato y una interacción entre la mente y el cuerpo. Los pensamientos y las emociones negativas tienen como resultado la debilitación de las defensas, que, a su vez, conducen a la enfermedad y, en último término, a la muerte. El reconocimiento de la conexión entre la mente y el cuerpo se refleja en expresiones comunes de nuestro lenguaje cotidiano, como: «lo corroen los celos»; «tiene el corazón destrozado»; «el estrés lo está matando»; «se está consumiendo de pena» o «está radiante de felicidad».

La mayoría de las prácticas curativas tradicionales, basadas en distintas visiones del mundo y principios cosmológicos, tienen un aspecto común: tratan la enfermedad contemplando al ser humano en el contexto de su relación con el cosmos.

Los médicos musulmanes consideran al hombre como una unidad psicosomática dotada de un propósito o una fuerza vital (*ruh*).

Desde el punto de vista yogui, el cuerpo humano se compone de tres manifestaciones distintas: el cuerpo físico (compuesto de carne, hueso y sangre), el cuerpo sutil (que contiene la fuerza vital *prana*) y el cuerpo espiritual (que abarca la sabiduría universal).

Para los hawaianos, la salud significa «energía». La buena salud es un estado de *ehuehu* (energía abundante), y la mala salud, de *pake* (debilidad). Las enfermedades se producen a causa del *mai* (tensión), y la curación equivale al restablecimiento del *lapau* (energía). Por lo tanto, la salud es un estado de energía armónica.

Los indios americanos creen que la Tierra es un organismo vivo y que todas las creaciones del mundo contienen una fuerza vital que forma parte de un conjunto armónico. Las enfermedades se producen cuando dicho equilibrio se rompe, y el propósito de las ceremonias curativas es el de restablecer la armonía tanto personal como universal.

Los chinos practican el *taichi* para aumentar el flujo de energía en el cuerpo y fortalecer sus defensas frente a las enfermedades. Se cree que el *taichi* estimula los riñones (considerados la energía vital) y mantiene la vivacidad de la mente, del cuerpo y del espíritu.

Rudolf Steiner, el fundador de la antroposofía (v. cap. VI), pretendía ir más allá de la simple curación del cuerpo. Su aguda percepción lo llevó a explorar el lado espiritual de la existencia, lo que le permitió comprender cómo estimular los poderes curativos naturales de una persona. Para realizar la curación, hay que considerar la interacción entre los cuatro aspectos del ser humano (los cuerpos físico, etéreo, astral y el ego) y tratarlos en su totalidad.

Existen similitudes notables entre los sistemas curativos anteriormente citados. Lo llamemos *ruh, prana, chi,* fuerza vital, *ehuehu,* o energía etérea, lo llevamos en nuestro interior. Es una función del «médico interno», tomando la frase de Albert Schweitzer, quien debe aprovechar el poder curativo que tenemos dentro para restablecer el equilibrio entre el cuerpo, la mente y el espíritu.

En los últimos tiempos, el modelo holístico de la medicina ha empezado a adquirir popularidad. Sus defensores han contribuido a combatir los aspectos demasiado mecánicos y limitadores de la medicina moderna, lo cual no significa que ignoren los logros indudables de la ciencia. El holismo se basa en la premisa de que el organismo humano constituye un ser multidimensional, compuesto de mente, cuerpo y espíritu, inextricablemente vinculados entre sí, y que las enfermedades son el resultado de un desequilibrio, producido por una fuerza interna o externa. El cuerpo humano tiene una gran capacidad para curarse a sí mismo al restablecer el equilibrio. Así pues, la tarea principal del facultativo es la de promover y aliarse con las fuerzas curativas del cuerpo. El papel del facultativo es más el de un educador que el de un intervencionista.

La verdadera prueba de la curación tiene que ser la manifestación práctica de la armonía entre la mente, el cuerpo y el espíritu. El holismo facilita algunas respuestas, pero los problemas del espíritu, aunque reconocidos, aún no se han abordado y, a veces, se evitan en la práctica. No obstante, sin la dimensión espiritual, ningún sistema curativo puede ser verdaderamente completo. No puede haber verdadera autocuración o medicina holística sin tomar en cuenta el espíritu.

Quizá haya leído este libro porque sufre reumatismo o artritis y tiene la mente abierta; está dispuesto a explorar los distintos tipos de interacción entre el cuerpo y la mente. Sólo a usted le corresponde incluir el espíritu en la ecuación. El mensaje fundamental de este libro es que el «holismo» que se limita a contemplar la mente y el cuerpo al tiempo que pasa por alto el espíritu, es un engaño. Hay que ir más allá en busca de la verdad. Quizá este libro sea el primer paso en el camino hacia la unión de la mente, el cuerpo y el espíritu.

GLOSARIO

Aceite esencial: esencia muy fragante extraída de una planta mediante destilación. Líquido presente en las plantas en forma de gotas diminutas.

Ácidos grasos esenciales: sustancias que el organismo no puede producir y que deben obtenerse de los alimentos.

Adrenalina: hormona segregada por las glándulas suprarrenales en respuesta al miedo o al estrés, también se denomina epinefrina.

Agudo: síntoma que aparece bruscamente y que suele ser de corta duración.

Alergia: trastorno causado por reacción del sistema inmunitario a una sustancia específica.

Alopatía: término que se aplica a la medicina convencional basada en el uso de fármacos.

Aminoácidos: grupo de compuestos químicos que contienen nitrógeno y son los principales constituyentes de las proteínas. De los 22 aminoácidos conocidos, ocho se consideran esenciales porque el organismo no es capaz de producirlos y debe obtenerlos de los alimentos.

Analgésico: sustancia que alivia el dolor.

Anemia: trastorno que resulta de la disminución del número de glóbulos rojos en la sangre.

Antibiótico: medicamento que ayuda a tratar las infecciones causadas por bacterias.

Anticuerpo: molécula proteica producida por el sistema inmunitario del organismo para neutralizar y combatir cuerpos extraños (*antígenos*).

Antídoto: sustancia que neutraliza los efectos de un veneno.

Antígeno: cualquier sustancia capaz de provocar la liberación de un anticuerpo por parte del sistema inmunitario para defender al organismo de las infecciones y enfermedades. Cuando el sistema inmunitario confunde una sustancia inocua, como el polen, con un antígeno nocivo, se produce una alergia.

Antihistamínico: producto químico que contrarresta los efectos de la histamina, sustancia liberada en la reacción alérgica.

Antioxidantes: sustancias que impiden la oxidación al destruir los radicales libres. Son antioxidantes comunes las vitaminas A, C y E y los minerales selenio y cinc.

Antiséptico: preparado que tiene la capacidad de destruir microorganismos no deseados.

Arteriosclerosis: enfermedad causada por el depósito de grasas en las paredes de las arterias.

Atopia: predisposición a padecer varios problemas alérgicos, como asma, fiebre del heno, urticaria y eccema.

Benigno: que no es maligno; se aplica sobre todo a tumores e infecciones.

Betacaroteno: sustancia de origen vegetal que puede convertirse en vitamina A.

Bilis: líquido segregado por el hígado para emulsionar las grasas.

Candida albicans: género de hongos presente en las mucosas del organismo.

Carcinógeno: dícese de la sustancia que puede producir cáncer.

Cartílago: variedad de tejido conjuntivo que forma parte del sistema esquelético y se encuentra, por ejemplo, en las articulaciones.

Chi: término chino que designa la energía que circula por los meridianos.

Cirrosis: enfermedad del hígado producida por lesión de las células y cicatrización interna (*fibrosis*).

Colágeno: componente principal del tejido conjuntivo.

Colesterol: compuesto graso, producido por el cuerpo, que facilita el transporte de la grasa por la corriente sanguínea.

Contagio: término referido a una enfermedad que puede transmitirse por contacto directo.

Corticoides: fármacos utilizados para tratar la inflamación, similares a las hormonas esteroides producidas por las glándulas suprarrenales, que regulan la utilización de nutrientes por el organismo y la eliminación de sales y agua por la orina.

Crónico: trastorno que persiste durante largo tiempo; opuesto a agudo.

Detoxificación: tratamiento para eliminar o reducir las sustancias tóxicas (*toxinas*) presentes en el organismo.

Dieta de eliminación: dieta que suprime los alimentos que provocan alergias.

Diurético: sustancia que aumenta la eliminación de orina.

DNA: molécula que contiene la información genética en la mayoría de los organismos.

Encefalinas: moléculas proteicas que ejercen un efecto analgésico, además de sedante.

Endorfinas: sustancias que tienen la capacidad de suprimir el dolor. También intervienen en el control de la respuesta del organismo al estrés.

Enfermedad autoinmune: enfermedad en la que el sistema inmunitario ataca los tejidos del propio organismo (p. ej., la artritis reumatoide).

Enzima: catalizador proteico que acelera las reacciones químicas en el organismo.

Esclerosis: proceso de endurecimiento o de formación de tejido cicatrizal.

Estimulante: sustancia que aumenta la energía.

Estudio por doble ciego con placebo: tipo de estudio de control para determinar la eficacia de un fármaco, en el que los médicos no saben cuáles son los pacientes que han recibido el tratamiento y cuáles los que han recibido el placebo (preparación farmacéutica que sólo contiene productos inactivos).

Hepático: perteneciente al hígado.

Histamina: sustancia química segregada en la reacción alérgica, causante del enrojecimiento y de la hinchazón característicos de la inflamación.

Linfocito: célula blanca de la sangre presente en los ganglios linfáticos. Ciertos linfocitos desempeñan importantes funciones en el sistema inmunitario.

Maligno: término que describe un proceso que empeora progresivamente hasta producir la muerte.

Marcador genético: elemento que indica la presencia de un defecto genético en un fragmento específico del DNA, determinado en el laboratorio.

Medicina holística: cualquier terapia dirigida a tratar a la persona en su conjunto, es decir, la mente, el cuerpo y el espíritu.

Meridiano: canal de energía que conecta los puntos de acupuntura y de acupresión con los órganos internos.

Mucosa: tejido rosado que recubre la mayoría de las cavidades y conductos del cuerpo, como la boca, la nariz, etc.

Mucosidad: fluido espeso segregado por las mucosas.

Neurotransmisor: sustancia química que transmite los impulsos nerviosos de una célula nerviosa a otra.

Oxidación: proceso químico que consiste en la combinación de una sustancia con oxígeno o en la eliminación de hidrógeno.

Placebo: sustancia química inactiva, utilizada a menudo para comparar la eficacia de distintos fármacos en pruebas clínicas.

Potencia: término utilizado en homeopatía para indicar el número de veces que una sustancia ha sido diluida.

Prostaglandinas: compuestos similares a las hormonas, elaborados a partir de los ácidos grasos esenciales.

Radicales libres: átomo o grupo de átomos muy inestable, que contiene al menos un electrón no emparejado.

Retirada: abandono de una sustancia adictiva.

Sistema nervioso autónomo: parte independiente del sistema nervioso que controla las funciones involuntarias y autónomas de los órganos. Comprende el sistema simpático y el sistema parasimpático.

Sistema nervioso parasimpático: parte del sistema nervioso autónomo íntimamente relacionado con las funciones cotidianas del cuerpo, como la digestión y la excreción. Disminuye la frecuencia cardíaca y estimula los órganos del aparato digestivo.

Sistema nervioso simpático: parte del sistema nervioso autónomo cuya función primaria es preparar el cuerpo para la acción durante el estrés y la excitación. Estimula las funciones corporales, como la frecuencia cardíaca, la sudación y el riego sanguíneo.

Toxina: proteína tóxica producida por bacterias causantes de enfermedades.

Tratamiento constitucional: tratamiento establecido a partir de la evaluación de los estados físico, mental y emocional de una persona.

Vacuna: preparado que se administra para inducir inmunidad frente a una enfermedad infecciosa determinada.

Vitamina: nutriente esencial indispensable, que actúa como catalizador en los procesos normales del organismo.

OTROS TÍTULOS
EN ESTA COLECCIÓN

DINAMICA

Nora Tannenhaus

Anorexia y bulimia

Una guía práctica
para superar
los trastornos
psicológicos que
afectan los hábitos
alimentarios.

PLAZA & JANES

*Una guía práctica para superar los trastornos
psicológicos que afectan los hábitos alimentarios.*

Lamentablemente, los trastornos de la nutrición, en particular la anorexia y la bulimia, han alcanzado una inusitada notoriedad en las últimas décadas. La engañosa ecuación entre éxito y delgadez que ha establecido la sociedad actual ejerce una presión, a veces insoportable, sobre el público, especialmente el femenino, como demuestra el dato de que un 80 por ciento de las mujeres deseen perder peso. La gravedad de estos trastornos, así como la de sus secuelas (osteoporosis, alteraciones metabólicas, dolencias cardíacas, depresión, entre otras), exige una toma de conciencia inmediata y soluciones drásticas. Este libro le ayudará a detectar los primeros síntomas de la enfermedad, a evaluar la influencia del medio familiar y social, y a modificar ciertas pautas de conducta destructivas en relación con la comida.

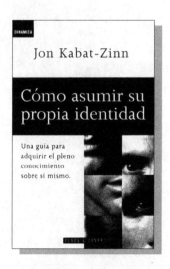

*Una guía para adquirir el pleno conocimiento
sobre sí mismo.*

El autor propone la meditación como método para relajarse y combatir el estrés. Para ello analiza el arte de vivir el presente, cada instante, con plena conciencia. Sin embargo, el aspecto más original de su enfoque es presentar la meditación no como práctica espiritual sino como disciplina práctica y cotidiana. Ésta es una guía de relajación útil tanto para el meditador experto como para el recién iniciado.